HERNANI

VICTOR HUGO

HERNANI

Introduction, notes, dossier,
chronologie et bibliographie
par
Claude ETERSTEIN

GF-Flammarion

*Du même auteur
dans la même collection*

L'ART D'ÊTRE GRAND-PÈRE.

LES BURGRAVES.

LES CHANSONS DES RUES ET DES BOIS.

CHÂTIMENTS (édition de Jacques Seebacher).

LES CHATÎMENTS (édition avec dossier de Jean-Marc Hovasse).

LES CONTEMPLATIONS.

CROMWELL.

LES FEUILLES D'AUTOMNE. LES CHANTS DU CRÉPUSCULE.

HERNANI (édition avec dossier).

L'HOMME QUI RIT (deux volumes).

LA LÉGENDE DES SIÈCLES (deux volumes).

LES MISÉRABLES (trois volumes).

NOTRE-DAME DE PARIS.

ODES ET BALLADES. LES ORIENTALES.

QUATRE-VINGT-TREIZE (édition avec dossier).

RUY BLAS (édition avec dossier).

THÉÂTRE I : Amy Rosbart. Marion de Lorme. Hernani. Le roi s'amuse.

THÉÂTRE II : Lucrèce Borgia. Ruy Blas. Marie Tudor. Angelo, tyran de Padoue.

LES TRAVAILLEURS DE LA MER.

© 1996, Flammarion, Paris, pour cette édition.
ISBN : 2-08-70968-2

INTRODUCTION

« Bataille », « orage », « révolution littéraire », le 25 février 1830, jour de la première représentation d'*Hernani*, est assurément une date capitale de l'histoire du théâtre au XIXe siècle. Mais au-delà de la scène, de la salle du Théâtre-Français retentissant ce soir-là d'un chahut mémorable, au-delà du triomphe remporté de haute lutte par un jeune auteur inspiré, la pièce trouve un écho dans la grande histoire, celle de la Restauration et de la France romantique. Si le drame de Victor Hugo fait date, c'est qu'il cristallise, dans les circonstances qui le préparent comme dans sa réception par le public, de très vives tensions qui traversent la littérature et divisent la société entre défenseurs de l'ordre ancien et partisans d'une nouvelle liberté. Cette liberté qui va guider le peuple sur les barricades de la Révolution de Juillet 1830, cinq mois après la Première d'*Hernani*, est évidemment politique. Elle est aussi — Hugo le rappelle dans la *Préface* du drame — « liberté littéraire », liberté de penser, de créer, de rêver une autre vie à travers un nouveau théâtre, un théâtre qui veut atteindre une large audience tout en restant grand, un théâtre rompant avec les habitudes de la scène et du vers classiques, un théâtre de la jeunesse et de la passion.

Victor Hugo en 1830.

L'auteur d'*Hernani* a vingt-sept ans lorsqu'il écrit ce drame. Il n'a pas encore atteint l'immense notoriété qui sera la sienne après 1830 et surtout après 1848, mais il est déjà considéré comme le chef de file de la nouvelle école romantique. Son appartement de la rue Notre-Dame-des-Champs à Paris est le foyer d'une intense activité intellectuelle, un laboratoire de la création artistique. Dans ce « Cénacle » où l'on rencontre Sainte-Beuve et Musset, Mérimée et Dumas, Vigny ou Delacroix, on lit des poèmes, des pièces de théâtre, on commente l'actualité politique ou littéraire, on admire Shakespeare et Walter Scott, on rêve de gloire.

C'est l'époque où Victor Hugo abandonne peu à peu les convictions monarchistes et conservatrices de sa jeunesse pour des sympathies libérales tandis que s'affirme son admiration pour Napoléon. Cette évolution politique est à l'image des contradictions du temps et pose une des questions dont résonne *Hernani* : quelle fidélité devons-nous au passé ? La France de la Restauration tente d'effacer des mémoires les bouleversements de la Révolution française et de l'Empire. Fils d'une Vendéenne catholique et d'un général de Napoléon, Hugo, lui, n'a rien oublié de ces époques troublées. Il est l'homme de la fracture historique qui sépare les temps nouveaux de l'Ancien Régime comme elle a irrémédiablement séparé ses parents. Sa réflexion politique mûrit : il s'indigne de la peine de mort, symbole d'une justice barbare, dans son roman *Le Dernier Jour d'un condamné* (1829). Il milite pour la liberté d'expression menacée par les gouvernements du roi Charles X. Il s'interroge enfin sur la place des grands hommes dans l'histoire, sur leur légitimité et leur capacité à transformer les valeurs d'une société[1]. Les questions de l'écrivain prennent forme dans un drame historique en 1827 :

---

1. Voir dans notre dossier (« *Hernani*, la politique et l'histoire ») le retentissement de ces thèmes dans la pièce.

c'est *Cromwell*, pièce énorme, par cela irreprésentable et pourtant décisive puisqu'elle constitue le premier essai dramatique important de Hugo et, dans sa très célèbre *Préface*, la synthèse de ses réflexions sur le théâtre.

Déjà poète et romancier, l'écrivain sait que seule la scène peut lui offrir la tribune susceptible d'élargir son public, de changer les règles du jeu littéraire et de franchir la frontière entre l'art et la vie.

La naissance du drame romantique.

L'exigence d'une mutation des formes littéraires affirmée par Hugo dans la *Préface* de *Cromwell* découle d'une réflexion sur l'histoire résumée par ce principe : à époque nouvelle, art nouveau. L'écrivain distingue « trois grands âges du monde » qui ont chacun leur mode d'expression : l'ode des temps primitifs, l'épopée des temps antiques, le drame des temps modernes. Le drame, tel que le conçoit Hugo, rassemble, dans une ambition de totalité, ce que les périodes antérieures avaient ébauché ou séparé, notamment la comédie et la tragédie, le sublime et le grotesque, la laideur et la beauté, la grandeur et la fragilité de l'homme, « ange et bête ».

Par cette esthétique du mélange, le drame romantique veut rompre avec l'arbitraire distinction des genres héritée du théâtre classique. Pour mieux épouser une réalité faite de changements et de contrastes, pour offrir davantage de vérité dans ses tableaux d'histoire, pour créer un lien plus intime entre les personnages et leur milieu, le drame doit également, selon la *Préface*, abandonner les unités de lieu et de temps. Enfin Hugo veut faire du vers, forgé par Corneille et Molière l'instrument d'une poésie dramatique libérée du carcan des règles : « le vers au théâtre doit dépouiller tout amour-propre, toute exigence, toute coquetterie. Il n'est là qu'une forme, et une forme qui doit tout admettre, qui n'a rien à imposer au drame, et au contraire tout recevoir de lui pour tout transmettre au spectateur : français, latin, textes de lois, jurons royaux, locutions populaires, comédie, tragédie, rire, larmes, prose et poésie[1] ».

Aspirant à la liberté, refusant la stérile imitation de modèles, le drame romantique s'ouvre néanmoins à diverses influences : celle de Shakespeare notamment[2], célébré par Stendhal, dès 1823 dans son essai *Racine et Shakespeare* et par Vigny qui traduit en vers *Othello* en 1829 (*Le More de Venise*). Hugo lui-même voit dans le grand auteur élizabethain, dans son génie puissant qui embrasse d'un même souffle le tragique, l'épique et le comique, le véritable père du drame.

Une autre influence majeure est celle du mélodrame, genre populaire au début du XIXe siècle, qui privilégie le grand spectacle, les coups de théâtre, les sombres atmosphères, les scènes violentes ou pathétiques, le contraste édifiant entre l'innocence et la traîtrise. Les créateurs du drame romantique (Hugo, Dumas, Vigny, Musset) ne dédaigneront pas les « ficelles » du mélodrame mais voudront l'élever au niveau du grand art en dépassant son manichéisme.

Les audaces de ce renouvellement théâtral, le caractère volontairement hybride du drame choquent vivement la plupart des critiques et une bonne partie du public dont le goût, formé par l'école classique, proscrit l'outrance et la confusion des styles. Le pouvoir politique de la Restauration ne voit pas non plus d'un œil favorable les prémices de cette « révolution littéraire » et, lorsque Hugo présente à la Comédie-Française un nouveau drame, *Marion de Lorme*, en 1829, la pièce est interdite sous le prétexte que le roi Louis XIII, ancêtre de Charles X, y est présenté sous un jour défavorable. Cet acte de censure marque le début de la bataille d'*Hernani*.

---

1. *Préface* de *Cromwell*.
2. Voir dans notre dossier « Les sources d'*Hernani* ».

*La bataille d'*Hernani.

Refusant tout accommodement avec le gouvernement qui lui offre une place dans l'administration, Hugo se lance dans la rédaction d'un nouveau drame le 29 août 1829. Le 24 septembre, le cinquième acte d'*Hernani* est achevé : 2166 vers en moins d'un mois! L'écrivain entre en campagne, comme Napoléon, à la vitesse de l'éclair. Pour l'action d'*Hernani*, il a choisi de déplacer son champ de bataille dans l'Espagne du début du xvie siècle, cette Espagne héroïque découverte par le jeune Hugo en 1811 alors que son père y faisait la guerre [1].

La pièce est lue par son auteur, le 5 octobre 1829, aux Comédiens français qui la reçoivent par acclamation. Reste à franchir le tir de barrage de la censure. Celle-ci autorise la représentation mais souligne que la pièce « abonde en inconvenances de toute nature » et exige la suppression de toutes les « expressions insolentes » adressées au roi don Carlos et en particulier le vers 591 prononcé par Hernani : « Crois-tu donc que les rois à moi me sont sacrés? »

Hugo proteste, tempête, résiste à la cabale, dirige les répétitions et combat les réserves de certains acteurs inquiets du climat d'hostilité suscité par le camp classique. Les amis de Victor Hugo, de leur côté, se mobilisent et, le 25 février 1830, sont prêts au combat. Toute la jeunesse romantique des étudiants et des artistes, barbus, chevelus, vêtus avec extravagance à l'image du gilet rouge arboré ce soir-là par Théophile Gautier, investit le Théâtre-Français [2]. Lorsque le spectacle commence, les applaudissements des partisans de la nouvelle école dramatique couvrent de leur enthousiasme les murmures et les sifflets de leurs adversaires. Le jeu brillant des acteurs et

---

1. « Ernani » est le nom du premier village traversé de nuit par Hugo enfant lors de ce voyage espagnol.
2. Voir le récit de Gautier dans notre dossier (« Les témoins de la bataille »).

surtout de Mlle Mars (Doña Sol) assure la victoire.
Mais, pendant les trente représentations qui suivent,
la lutte continue dans une atmosphère d'exaltation et
de tumulte.

Malgré le triomphe public d'*Hernani*, la critique,
rarement favorable, décoche ses flèches, soulignant
l'invraisemblance des situations, l'exagération des
caractères, les bizarreries du style. Le retentissement
du drame est tel que de nombreuses parodies voient le
jour dans les théâtres parisiens (*N,I, NI ou le danger
des Castilles, Harnali ou la contrainte par cor*, etc.).

Ce qui pouvait étonner et dérouter dans *Hernani*,
c'est d'abord la liberté prise par rapport aux unités du
théâtre classique.

Trois drames en un.

Avant de se décider pour *Hernani*, Hugo hésita
entre plusieurs titres dont chacun révèle une facette de
la pièce : *La Jeunesse de Charles Quint, L'Honneur castillan, Tres para una.*

La Jeunesse de Charles Quint met l'accent sur la
dimension historique et politique du drame, sur la
lutte entre le roi don Carlos et le proscrit Hernani, sur
l'élévation du jeune prince au titre d'empereur, en un
mot sur la naissance d'un grand homme. Cependant,
et contrairement au schéma de la tragédie classique, la
figure du roi est secondaire par rapport à celle du
héros, Hernani.

C'est ce dernier, en effet, qui affronte et assume,
dans la douleur et jusque dans la mort, les règles de
L'Honneur castillan, c'est-à-dire le poids du passé. Le
conflit qui l'oppose au vieux duc, don Ruy Gomez,
apparaît, à bien des égards, comme une confrontation
entre la liberté individuelle, l'aspiration au bonheur de
la jeunesse et la fatalité d'une histoire familiale et des
traditions d'un autre âge. C'est la part cornélienne
d'*Hernani*, c'est son versant tragique. Le héros,
comme le Cid, est déchiré entre les exigences du cœur
et l'obéissance à un ordre social où les pères dictent

leur loi aux fils. L'intériorisation de ce conflit conduit Hernani vers l'abîme de la folie et du suicide.

Tragédie de l'impossible bonheur, *Hernani* est aussi un drame de la passion absolue. *Tres para una* : trois hommes entrent en rivalité pour conquérir Doña Sol, être unique, rêve de lumière, cœur pur. Trois visages de l'amour se dessinent : don Carlos fait irrésistiblement penser à don Juan, la conquête de doña Sol n'est pour lui que le divertissement d'un prince libertin ; l'amour de don Ruy, quant à lui, est faustien : le vieux duc rêve, dans les yeux de sa nièce, de l'éternelle jeunesse et serait risible s'il n'était terrifiant dans sa jalousie vengeresse ; la passion d'Hernani et de doña Sol, enfin, est à la fois totale et destructrice : elle offre une version romantique du mythe de Tristan et Iseut mais le philtre d'amour est remplacé par le poison qui réunit, au dénouement, les héros dans une ultime extase.

Entrelaçant constamment la scène d'histoire, la tragédie de la conscience et le drame de la passion, Hugo conserve la structure en cinq actes du théâtre classique, mais étend l'action sur plusieurs mois, de février (Acte I et II) à août 1519 (Acte V).

La structure du drame.

L'acte d'exposition (« Le roi ») est dominé par la figure de don Carlos. Pénétrant de nuit dans le palais du duc de Silva, il vient perturber le duo amoureux entre Hernani et doña Sol, affirme ses visées galantes mais aussi son ambition impériale. Il assure la transition entre des scènes « privées » (sc. 1 et 2) où apparaît la dimension sentimentale du drame et une grande scène publique où la politique domine (sc. 3). Le monologue d'Hernani qui clôt l'acte (sc. 4) éclaire les motifs de sa haine pour don Carlos : vengeance familiale (le père de don Carlos a jadis fait exécuter le père d'Hernani) et rivalité amoureuse.

Cette rivalité est portée à son paroxysme dans l'acte II (« Le bandit »), Hernani et don Carlos s'efforçant tour à tour de mettre leur adversaire en leur pouvoir. Cette confrontation aboutit à un double échec : don Carlos ne peut enlever doña Sol à Hernani et ce dernier ne parvient pas à accomplir sa vengeance. Il doit finalement fuir Saragosse pour échapper aux hommes d'armes du roi. Au cœur de l'acte, doña Sol, objet des désirs et enjeu des affrontements, affirme sa détermination en refusant les offres de don Carlos et en voulant suivre Hernani dans son exil. Lors d'un nouveau tête-à-tête (sc. 4), l'entraînement fatal de leur passion fait craindre aux deux amoureux « Un sombre dénouement pour un destin bien sombre ». Hernani est ce « bandit » qu'on ne peut aimer sans risquer sa vie.

Dans l'Acte III (« Le vieillard »), don Ruy Gomez, absent de l'acte II, réapparaît, incarnant, pour les trois autres personnages principaux, le destin, le spectre d'un passé que leur jeunesse voudrait effacer : doña Sol doit subir les protestations d'amour du vieux duc (sc. 1) ; don Carlos est contraint, dans la fameuse scène des portraits (sc. 6), d'écouter impatiemment les leçons de don Ruy sur le code d'honneur castillan ; Hernani, otage de la lutte d'influence entre le roi et le duc, doit livrer sa vie à ce dernier par un terrible serment (sc. 7). La découverte par don Ruy de l'amour entre Hernani et sa nièce, l'enlèvement de celle-ci par le roi rendent toujours plus incertaine la perspective du bonheur pour les héros.

L'acte IV (« Le tombeau ») déplace l'action d'Espagne en Allemagne et met au premier plan les enjeux politiques du drame : la conspiration contre don Carlos à laquelle participent don Ruy et Hernani, la méditation du roi sur le pouvoir dans le long monologue qu'il prononce devant le tombeau de Charlemagne (sc. 2), la proclamation de son élection à la tête du Saint-Empire (sc. 4), l'arrestation des conjurés et la grâce que leur accorde le nouvel empereur se succèdent comme les pages d'un livre d'histoire. C'est l'acte des métamorphoses : don Carlos, ardent dans sa chasse amoureuse comme dans la traque du bandit Hernani au cours des actes précédents, accède à la maturité du sage Charles Quint et, bon prince, accorde doña Sol à Hernani qui révèle, lui aussi, un nouveau visage. Le banni, le paria, l'homme de l'ombre jette le masque : il est Jean d'Aragon, duc et grand d'Espagne et, pour répondre à la clémence de l'empereur, il renonce à sa vengeance. Hugo a ménagé dans ce finale heureux un faux dénouement.

« La noce » de Jean d'Aragon-Hernani et de doña Sol dans l'acte V est une sombre fête, une illusion du bonheur, une chimère. Le tragique, un instant refoulé, fait retour et ressaisit les héros sous l'apparence funèbre et funeste de don Ruy Gomez qui vient rappeler à Hernani ses serments. Celui-ci a promis de donner sa vie au duc comme il avait promis à son propre père de le venger. La malédiction et l'échec du héros, incapable d'échapper à son passé, marquent de leur sceau fatal le dénouement. Mais celui-ci doit être avant tout placé sous le signe de l'amour-passion qui s'éprouve dans la mort partagée de doña Sol et d'Hernani.

Une nouvelle dramaturgie.

Dans une large mesure, le projet du drame conçu par Hugo dans la *Préface* de *Cromwell* s'accomplit dans *Hernani*.

Certes, la grandeur héroïque domine et la pièce s'élève souvent au sublime de la tragédie sans présenter comme d'autres pièces romantiques de brutales ruptures de ton. Cependant, le mélange des registres est à l'œuvre : ainsi l'ouverture du drame qui voit le roi dissimulé dans un placard par une vieille duègne est bouffonne comme est grotesque, à l'acte suivant, le personnage de don Ricardo, caricature du courtisan servile. En contrepoint, les duos amoureux entre Hernani et doña Sol atteignent une grande pureté dans le lyrisme, tandis que le monologue de don Carlos, à l'acte IV, introduit dans le drame et dans sa vision de l'histoire, une tonalité épique. Le pathétique et l'ironie tragique du dénouement élargissent encore la palette des émotions.

Pour les contemporains du drame, la principale nouveauté devait être celle d'un spectacle total permis par les changements de décors à chaque acte : la chambre à coucher de doña Sol et son escalier dérobé (acte I) inaugurent l'action sous le signe de l'intimité et du secret, dans une scénographie du clair-obscur (dans la pièce, quatre actes sur cinq se passent la nuit) ; le patio du palais de Silva, son balcon et son banc de pierre (acte II) semblent aussi un cadre propice à l'amour, mais ils sont cernés par les cris et les torches de Saragosse éveillée par les soldats du roi ; la galerie de portraits des ancêtres de don Ruy Gomez dans son château des montagnes d'Aragon (acte III) plonge le spectateur dans l'Espagne historique, tandis que le tombeau de Charlemagne à Aix-la-Chapelle (acte IV) est imprégné de l'atmosphère de violence et de complot du mélodrame ou du roman noir. Après la spectaculaire cérémonie du couronnement de Charles Quint (IV, 4), l'Acte V offre une nouvelle grande scène publique avec la mascarade des noces d'Hernani et de doña Sol dans le palais d'Aragon. Mais bientôt la scène se vide, le cercle se referme pour une nuit d'amour et de mort (V, 3).

Cette dramaturgie en tableaux, fondée sur la dualité de lieux ouverts et fermés, envahis ou désertés par la foule, n'a rien de statique, puisqu'à chaque étape de l'action, se multiplient coups de théâtre et renversements de situation. L'acte III est particulièrement fertile en rebondissements : apparition inattendue d'Hernani déguisé en pèlerin, révélation de son identité, surprise des amoureux par don Ruy Gomez, arrivée soudaine de don Carlos, enlèvement de doña Sol par le roi.

Les objets eux-mêmes participent à cette dynamique théâtrale et à la création d'un langage symbolique : le poignard dérobé à don Carlos par doña Sol (II, 2) réapparaît plusieurs fois pour marquer le courage héroïque de la jeune femme ; le cor d'Hernani, d'abord emblème de sa révolte, puisqu'il sert à rallier sa troupe de hors-la-loi, signifie au dernier acte la perte de tout pouvoir sur sa propre vie à partir du moment où il l'a donnée en gage à don Ruy (III, 7).

Ce théâtre qui sait être action, spectacle et cérémonie ne privilégie pas, contrairement au mélodrame, l'émotion par rapport au sens. Déguisements, quiproquos et révélations, loin d'être de purs artifices du jeu dramatique, révèlent la difficulté des personnages à assumer leur destin, à trouver leur identité et à conquérir leur liberté. Leur parole, magnifiée ou brisée par les alexandrins qui la portent, traduit cette quête passionnée.

La poésie d'Hernani.

Hugo, dont Mallarmé disait qu'« il était le vers personnellement », a fait d'*Hernani* une extraordinaire création verbale et poétique. Dès les premiers vers du drame, la virtuosité de l'écrivain dans l'utilisation de la césure, du rejet, du rythme apparaît dans toute sa fantaisie.

L'alexandrin ternaire souligne la fatalité qui pèse sur le héros :

« Je suis banni ! je suis proscrit ! je suis funeste ! »

tandis que les structures binaires révèlent la dualité de son destin :

« Entre aimer et haïr, je suis resté flottant. »

Mis en pièces, les vers disent la souffrance et la passion qui déchirent doña Sol :

« Ciel ! des douleurs étranges !...
Ah ! jette loin de toi ce philtre !... ma raison
S'égare. — Arrête ! hélas ! mon don Juan ! ce poison
Est vivant... »

Sans abandonner les tirades du théâtre classique, le poète leur communique une nouvelle énergie, le souffle de l'épopée ou la simplicité du chant d'amour. Dans cette poésie des sentiments, de la nature ou de l'histoire, l'image est reine comme doña Sol, « cette fleur au bord du précipice », cette « colombe » entourée de « vautours », cette lumière dans la nuit :

« Doña Sol, viens briller comme un astre dans l'ombre ».

Les émotions les plus subtiles passent par ce langage imagé. Lorsque don Carlos renonce à doña Sol pour accéder au faîte du pouvoir, il devient poète dans ce discours à Hernani :

« Mais tu l'as le plus doux et le plus beau collier,
Celui que je n'ai pas, qui manque au rang suprême,
Les deux bras d'une femme aimée et qui vous aime!
Ah! tu vas être heureux; — moi, je suis empereur. »

Et, lorsque les mots se taisent, lorsque le poison dénoue le drame, lorsque les amants enfin réunis échangent un dernier regard, il reste dans *Hernani*, comme dans toute grande œuvre, la part du silence, du mystère et du rêve qui fait de ce drame une réussite éblouissante.

                                        Claude ETERSTEIN.

HERNANI

PRÉFACE

L'auteur de ce drame écrivait il y a peu de semaines à propos d'un poète mort avant l'âge[1] :

« ... Dans ce moment de mêlée et de tourmente littéraire[2], qui faut-il plaindre, ceux qui meurent ou ceux qui combattent? Sans doute, il est triste de voir un poète de vingt ans qui s'en va, une lyre qui se brise, un avenir qui s'évanouit; mais n'est-ce pas quelque chose aussi que le repos? N'est-il pas permis à ceux autour desquels s'amassent incessamment calomnies, injures, haines, jalousies, sourdes menées, basses trahisons; hommes loyaux auxquels on fait une guerre déloyale; hommes dévoués qui ne voudraient enfin que doter le pays d'une liberté de plus[3], celle de l'art, celle de l'intelligence; hommes laborieux qui poursuivent paisiblement leur œuvre de conscience, en proie d'un côté à de viles machinations de censure et de police[4], en butte de l'autre, trop souvent, à l'ingra-

---

1. Le « poète mort avant l'âge », dans un duel, est Charles Dovalle. Hugo cite ici des extraits de la *Lettre-préface aux éditeurs des poésies de Charles Dovalle* qu'il a écrite en janvier 1830.
2. Hugo fait allusion à la bataille menée par les Romantiques pour imposer un nouveau théâtre et à la censure qu'il a dû affronter pour faire représenter *Marion de Lorme* et *Hernani*.
3. Sous la Restauration et à la veille de la Révolution de 1830, la bataille pour la liberté d'expression est un enjeu décisif du combat politique.
4. Pour faire échouer *Hernani*, certains censeurs avaient fait paraître dans la presse des critiques du drame avant sa représentation.

titude des esprits mêmes pour lesquels ils travaillent;
ne leur est-il pas permis de retourner quelquefois la
tête avec envie vers ceux qui sont tombés derrière eux
et qui dorment dans le tombeau? *Invideo*, disait
Luther[1] dans le cimetière de Worms, *invideo, quia
quiescunt*[2].

« Qu'importe toutefois? Jeunes gens, ayons bon
courage! Si rude qu'on nous veuille faire le présent,
l'avenir sera beau. Le romantisme, tant de fois mal
défini, n'est, à tout prendre, et c'est là sa définition
réelle, si l'on ne l'envisage que sous son côté militant,
que le libéralisme[3] en littérature. Cette vérité est déjà
comprise à peu près de tous les bons esprits, et le
nombre en est grand; et bientôt, car l'œuvre est déjà
bien avancée, le libéralisme littéraire ne sera pas moins
populaire que le libéralisme politique. La liberté dans
l'art, la liberté dans la société, voilà le double but
auquel doivent tendre d'un même pas tous les esprits
conséquents et logiques; voilà la double bannière qui
rallie, à bien peu d'intelligences près (lesquelles
s'éclaireront), toute la jeunesse si forte et si patiente
d'aujourd'hui; puis, avec la jeunesse et à sa tête l'élite
de la génération qui nous a précédés, tous ces sages
vieillards qui, après le premier moment de défiance et
d'examen, ont reconnu que ce que font leurs fils est
une conséquence de ce qu'ils ont fait eux-mêmes[4], et
que la liberté littéraire est fille de la liberté politique.
Ce principe est celui du siècle, et prévaudra. Les
Ultras[5] de tout genre, classiques ou monarchiques,
auront beau se prêter secours pour refaire l'ancien
régime de toutes pièces, société et littérature; chaque

1. Luther (1483-1546) est un des fondateurs du protestantisme.
Il fut mis au ban de l'Empire par l'assemblée des princes allemands
à Worms en 1521.
2. « J'envie (les morts) parce qu'ils se reposent. »
3. Le mot est à prendre au sens politique et renvoie notamment
au combat pour la liberté d'expression.
4. La génération qui a précédé Hugo est celle de la Révolution
française.
5. Sous la Restauration, les Ultras (royalistes) souhaitent le réta-
blissement de l'Ancien Régime.

progrès du pays, chaque développement des intelligences, chaque pas de la liberté fera crouler tout ce qu'ils auront échafaudé. Et, en définitive, leurs efforts de réaction auront été utiles. En révolution, tout mouvement fait avancer. La vérité et la liberté ont cela d'excellent que tout ce qu'on fait pour elles et tout ce qu'on fait contre elles les sert également. Or, après tant de grandes choses que nos pères ont faites, et que nous avons vues, nous voilà sortis de la vieille forme sociale; comment ne sortirions-nous pas de la vieille forme poétique? A peuple nouveau, art nouveau. Tout en admirant la littérature de Louis XIV si bien adaptée à sa monarchie, elle saura bien avoir sa littérature propre et personnelle et nationale, cette France actuelle, cette France du dix-neuvième siècle, à qui Mirabeau[1] a fait sa liberté et Napoléon sa puissance. »

Qu'on pardonne à l'auteur de ce drame de se citer ici lui-même; ses paroles ont si peu le don de se graver dans les esprits, qu'il aurait souvent besoin de les rappeler. D'ailleurs, aujourd'hui, il n'est peut-être point hors de propos de remettre sous les yeux des lecteurs les deux pages qu'on vient de transcrire. Ce n'est pas que ce drame puisse en rien mériter le beau nom d'art nouveau, de poésie nouvelle, loin de là; mais c'est que le principe de la liberté en littérature vient de faire un pas[2]; c'est qu'un progrès vient de s'accomplir, non dans l'art, ce drame est trop peu de chose, mais dans le public; c'est que, sous ce rapport du moins, une partie des pronostics hasardés plus haut viennent de se réaliser.

Il y avait péril, en effet, à changer ainsi brusquement d'auditoire, à risquer sur le théâtre des tentatives confiées jusqu'ici seulement au papier qui souffre tout; le public des livres est bien différent du public des spectacles, et l'on pouvait craindre de voir le

1. Mirabeau (1749-1791) est un des principaux participants de la Révolution de 1789.
2. Ce pas est marqué par la « bataille » et le triomphe d'*Hernani* au Théâtre-Français.

second repousser ce que le premier avait accepté. Il n'en a rien été. Le principe de la liberté littéraire, déjà compris par le monde qui lit et qui médite, n'a pas été moins complètement adopté par cette immense foule, avide des pures émotions de l'art, qui inonde chaque soir les théâtres de Paris. Cette voix haute et puissante du peuple, qui ressemble à celle de Dieu, veut désormais que la poésie ait la même devise que la politique : TOLÉRANCE ET LIBERTÉ.

Maintenant vienne le poète ! il y a un public.

Et cette liberté, le public la veut telle qu'elle doit être, se conciliant avec l'ordre, dans l'Etat, avec l'art, dans la littérature. La liberté a une sagesse qui lui est propre, et sans laquelle elle n'est pas complète. Que les vieilles règles de d'Aubignac[1] meurent avec les vieilles coutumes de Cujas[2], cela est bien ; qu'à une littérature de cour succède une littérature de peuple, cela est mieux encore ; mais surtout qu'une raison intérieure se rencontre au fond de toutes ces nouveautés. Que le principe de liberté fasse son affaire, mais qu'il la fasse bien. Dans les lettres, comme dans la société, point d'étiquette, point d'anarchie : des lois. Ni talons rouges, ni bonnets rouges[3].

Voilà ce que veut le public, et il veut bien. Quant à nous, par déférence pour ce public qui a accueilli avec tant d'indulgence un essai qui en méritait si peu, nous lui donnons ce drame aujourd'hui tel qu'il a été représenté. Le jour viendra peut-être de le publier tel qu'il a été conçu par l'auteur, en indiquant et en discutant les modifications que la scène lui a fait subir[4]. Ces détails de critique peuvent ne pas être sans intérêt ni sans

1. Critique dramatique, François d'Aubignac (1604-1676) fixa dans sa *Pratique du théâtre* (1657) la règle des trois unités que rejettent les Romantiques.
2. Les théories de Jacques Cujas (1522-1590), juriste du XVIe siècle, n'ont plus cours en 1830 après la profonde réforme du Droit introduite par le Code civil napoléonien.
3. Les « talons rouges » désignent les aristocrates, les « bonnets rouges » les révolutionnaires.
4. Le drame représenté en 1830 comportait des coupures. La version intégrale de la pièce a été rétablie par les éditeurs dès 1836.

enseignements, mais ils sembleraient minutieux[1] aujourd'hui ; la liberté de l'art est admise, la question principale est résolue ; à quoi bon s'arrêter aux questions secondaires ? Nous y reviendrons du reste quelque jour, et nous parlerons aussi, bien en détail, en la ruinant par les raisonnements et par les faits, de cette censure dramatique qui est le seul obstacle à la liberté du théâtre, maintenant qu'il n'y en a plus dans le public. Nous essayerons, à nos risques et périls et par dévouement aux choses de l'art, de caractériser les mille abus de cette petite inquisition[2] de l'esprit, qui a, comme l'autre saint-office, ses juges secrets, ses bourreaux masqués, ses tortures, ses mutilations et sa peine de mort. Nous déchirerons, s'il se peut, ces langes de police dont il est honteux que le théâtre soit encore emmailloté au dix-neuvième siècle.

Aujourd'hui il ne doit y avoir place que pour la reconnaissance et les remerciements. C'est au public que l'auteur de ce drame adresse les siens, et du fond du cœur. Cette œuvre, non de talent, mais de conscience et de liberté, a été généreusement protégée contre bien des inimitiés par le public, parce que le public est toujours, aussi lui, consciencieux et libre. Grâces lui soient donc rendues, ainsi qu'à cette jeunesse puissante qui a porté aide et faveur à l'ouvrage d'un jeune homme sincère et indépendant comme elle ! C'est pour elle surtout qu'il travaille, parce que ce serait une gloire bien haute que l'applaudissement de cette élite de jeunes hommes, intelligente, logique, conséquente, vraiment libérale en littérature comme en politique, noble génération qui ne se refuse pas à ouvrir les deux yeux à la vérité et à recevoir la lumière des deux côtés.

Quant à son œuvre en elle-même, il n'en parlera pas. Il accepte les critiques qui en ont été faites, les plus sévères comme les plus bienveillantes, parce

---

1. Péjoratif : d'une excessive minutie.
2. L'Inquisition, tribunal établi au XIIe siècle par le pape Innocent III et chargé de réprimer les hérésies religieuses.

qu'on peut profiter à toutes. Il n'ose se flatter que tout le monde ait compris du premier coup ce drame, dont le *Romancero general*[1] est la véritable clef. Il prierait volontiers les personnes que cet ouvrage a pu choquer de relire *Le Cid, Don Sanche, Nicomède*[2], ou plutôt tout Corneille et tout Molière[3], ces grands et admirables poètes. Cette lecture, si pourtant elles veulent bien faire d'abord la part de l'immense infériorité de l'auteur d'*Hernani*, les rendra peut-être moins sévères pour certaines choses qui ont pu les blesser dans la forme ou dans le fond de ce drame. En somme, le moment n'est peut-être pas encore venu de le juger. *Hernani* n'est jusqu'ici que la première pierre d'un édifice qui existe tout construit dans la tête de son auteur[4], mais dont l'ensemble peut seul donner quelque valeur à ce drame. Peut-être ne trouvera-t-on pas mauvaise un jour la fantaisie qui lui a pris de mettre, comme l'architecte de Bourges, une porte presque moresque à sa cathédrale gothique[5].

En attendant, ce qu'il a fait est bien peu de chose, il le sait. Puissent le temps et la force ne pas lui manquer pour achever son œuvre! Elle ne vaudra qu'autant qu'elle sera terminée. Il n'est pas de ces poètes privilégiés qui peuvent mourir ou s'interrompre avant d'avoir fini, sans péril pour leur mémoire; il n'est pas de ceux qui restent grands, même sans avoir complété

1. Recueil de poèmes narratifs ou lyriques constitué à partir de 1550 et rassemblant des faits historiques ou légendaires de l'Espagne.
2. *Hernani* trouve un écho dans ces trois pièces de Corneille qui, chacune, exaltent l'héroïsme.
3. Si Hugo veut rompre avec le théâtre classique, il rend cependant hommage, comme dans la Préface de *Cromwell*, au génie créateur de Corneille et de Molière.
4. Hugo pensait à l'origine consacrer une trilogie au personnage de Charles Quint.
5. Voir le décor moresque et gothique du palais d'Aragon à l'acte V d'*Hernani*. Par cette image, Hugo insiste sur le mélange des genres et des styles qu'il a voulu introduire dans son drame.

leur ouvrage, heureux hommes dont on peut dire ce
que Virgile disait de Carthage ébauchée :

Pendent opera interrupta, minæque
Murorum ingentes[1] *!*

9 mars 1830.

1. « Les grands ouvrages interrompus restent en suspens comme
d'immenses murailles menaçantes. » (V. 88-89 du Chant IV de
l'*Enéide* de Virgile.)

PERSONNAGES

Distribution de 1830

HERNANI	M. FIRMIN
DON[1] CARLOS	M. MICHELOT
DON RUY GOMEZ DE SILVA	M. JOANNY
DOÑA SOL DE SILVA	Mlle MARS
LE DUC DE BAVIÈRE	M. SAINT-AULAIRE
LE DUC DE GOTHA	M. GEFFROI
LE DUC DE LUTZELBOURG	M. FAURE
DON SANCHO	M. MENJAUD
DON MATIAS	M. BOUCHET
DON RICARDO	M. SAMSON
DON GARCI SUAREZ	M. GEFFROY
DON FRANCISCO	M. CASENEUVE
DON JUAN DE HARO	M. GEFFROY
DON GIL TELLEZ GIRON	M. MONTIGNY
PREMIER CONJURÉ	M. MENJAUD
UN MONTAGNARD	M. MONTIGNY
IAQUEZ	Mlle DESPREAUX
DOÑA JOSEFA DUARTE	Mlle TOUSEZ
UNE DAME	Mlle THENARD

Conjurés de la ligue sacro-sainte[2], allemands et espagnols.
Montagnards, seigneurs, soldats, pages, peuple, etc.
Espagne. — 1519[3].

1. Titre donné en Espagne aux nobles. Le féminin est « doña ».
2. Cette conjuration contre Charles Quint se forma en réalité en 1521.
3. Cette année est marquée par la mort de l'empereur Maximilien (12 janvier) et l'élection de Charles Quint (le 28 juin).

ACTE PREMIER

LE ROI

SARAGOSSE[1]

Une chambre à coucher. La nuit. Une lampe sur une table.

SCÈNE PREMIÈRE

DOÑA JOSEFA DUARTE, *vieille, en noir, avec le corps de sa jupe cousu de jais[2], à la mode d'Isabelle la Catholique[3]*; DON CARLOS.

DOÑA JOSEFA, *seule.*
Elle ferme les rideaux cramoisis de la fenêtre et met en ordre quelques fauteuils. On frappe à une petite porte dérobée à droite. Elle écoute. On frappe un second coup.
Serait-ce déjà lui?

Un nouveau coup.
C'est bien à l'escalier
Dérobé.

Un quatrième coup.

---

1. Ville d'Espagne, ancienne capitale du royaume d'Aragon.
2. Boutons d'un noir luisant.
3. Isabelle la Catholique (1450-1504), reine d'Espagne, représente à la fois une époque dépassée (en 1519) et une grande austérité religieuse.

Vite, ouvrons.

*Elle ouvre la petite porte masquée. Entre don Carlos, le
manteau sur le nez et le chapeau sur les yeux.*

Bonjour, beau cavalier.

*Elle l'introduit. Il écarte son manteau et laisse voir un
riche costume de velours et de soie, à la mode castillane de
1519. Elle le regarde sous le nez et recule étonnée.*

Quoi, seigneur Hernani, ce n'est pas vous ! — Main forte !
Au feu !

DON CARLOS, *lui saisissant le bras.*

Deux mots de plus, duègne[1], vous êtes morte !
Il la regarde fixement. Elle se tait, effrayée.

5 Suis-je chez doña Sol ? fiancée au vieux duc
De Pastraña[2], son oncle, un bon seigneur, caduc[3],
Vénérable et jaloux ? dites ? La belle adore
Un cavalier sans barbe et sans moustache encore,
Et reçoit tous les soirs, malgré les envieux,
10 Le jeune amant sans barbe à la barbe du vieux.
Suis-je bien informé ?

Elle se tait. Il la secoue par le bras.
Vous répondrez peut-être ?

DOÑA JOSEFA

Vous m'avez défendu de dire deux mots, maître.

DON CARLOS

Aussi n'en veux-je qu'un. — Oui, — non. — Ta dame
[est bien
Doña Sol de Silva ? parle.

DOÑA JOSEFA

Oui. — Pourquoi ?

DON CARLOS

Pour rien.
15 Le duc, son vieux futur[4], est absent à cette heure ?

1. Femme âgée chargée, en Espagne, de veiller sur la conduite
des jeunes filles et même des jeunes épouses.
2. Ville de la province de Guadalupe (Espagne).
3. Affaibli par l'âge.
4. Son futur époux.

DOÑA JOSEFA

Oui.

DON CARLOS

Sans doute elle attend son jeune?

DOÑA JOSEFA

Oui.

DON CARLOS

Que je meure!

DOÑA JOSEFA

Oui.

DON CARLOS

Duègne, c'est ici qu'aura lieu l'entretien?

DOÑA JOSEFA

Oui.

DON CARLOS

Cache-moi céans[1].

DOÑA JOSEFA

Vous!

DON CARLOS

Moi.

DOÑA JOSEFA

Pourquoi?

DON CARLOS

Pour rien.

DOÑA JOSEFA

Moi, vous cacher!

1. Ici (mot vieilli).

DON CARLOS
Ici.

DOÑA JOSEFA
Jamais !

DON CARLOS, *tirant de sa ceinture un poignard et une bourse.*
— Daignez, madame,
20 Choisir de cette bourse ou bien de cette lame.

DOÑA JOSEFA, *prenant la bourse.*
Vous êtes donc le diable ?

DON CARLOS
Oui, duègne.

DOÑA JOSEFA, *ouvrant une armoire étroite dans le mur.*
Entrez ici.

DON CARLOS, *examinant l'armoire.*
Cette boîte !

DOÑA JOSEFA, *la refermant.*
Va-t'en, si tu n'en veux pas.

DON CARLOS, *rouvrant l'armoire.*
Si.
L'examinant encore.
Serait-ce l'écurie où tu mets d'aventure
Le manche du balai[1] qui te sert de monture ?
Il s'y blottit avec peine.
25 Ouf !

DOÑA JOSEFA, *joignant les mains et scandalisée.*
Un homme ici !

DON CARLOS, *dans l'armoire restée ouverte.*
C'est une femme, est-ce pas[2] ?
Qu'attendait ta maîtresse ?

---

1. Le balai qui sert de monture aux sorcières.
2. On retrouve cette suppression d'une partie de la négation par licence poétique dans plusieurs vers (v. 74, 339, 510, etc.).

DOÑA JOSEFA
                              Ô ciel! j'entends le pas
De doña Sol. — Seigneur, fermez vite la porte.
Elle pousse la porte de l'armoire, qui se referme.

            DON CARLOS, *à l'intérieur de l'armoire.*
Si vous dites un mot, duègne, vous êtes morte.

                  DOÑA JOSEFA, *seule.*
Qu'est cet homme? Jésus mon Dieu! Si j'appelais?
30 Qui? Hors madame et moi, tout dort dans le palais.
Bah! l'autre va venir. La chose le regarde.
Il a sa bonne épée, et que le ciel nous garde
De l'enfer!
                              Pesant la bourse.
            Après tout, ce n'est pas un voleur.
Entre doña Sol, en blanc. Doña Josefa cache la bourse.

                  SCÈNE II

            DOÑA JOSEFA, DON CARLOS *caché;*
              DOÑA SOL, *puis* HERNANI

                  DOÑA SOL
Josefa!

                  DOÑA JOSEFA
      Madame?

                  DOÑA SOL
                  Ah! je crains quelque malheur.
35 Hernani devrait être ici.
                  Bruit de pas à la petite porte.
                  Voici qu'il monte.
Ouvre avant qu'il ne frappe, et fais vite, et sois prompte.

Josefa ouvre la petite porte. Entre Hernani, grand man-
teau. Grand chapeau. Dessous, un costume de monta-
gnard d'Aragon[1]*, gris, avec une cuirasse de cuir, une épée,*
un poignard, et un cor à la ceinture.

DOÑA SOL, *courant à lui.*

Hernani!

HERNANI

Doña Sol! Ah! c'est vous que je vois
Enfin! et cette voix qui parle est votre voix!
Pourquoi le sort mit-il mes jours si loin des vôtres?
40 J'ai tant besoin de vous pour oublier les autres!

DOÑA SOL, *touchant ses vêtements.*

Jésus! votre manteau ruisselle! il pleut donc bien?

HERNANI

Je ne sais.

DOÑA SOL

Vous devez avoir froid!

HERNANI

Ce n'est rien.

DOÑA SOL

Otez donc ce manteau.

HERNANI

Doña Sol, mon amie,
Dites-moi, quand la nuit vous êtes endormie,
45 Calme, innocente et pure, et qu'un sommeil joyeux
Entr'ouvre votre bouche et du doigt clôt vos yeux,
Un ange vous dit-il combien vous êtes douce
Au malheureux que tout abandonne et repousse?

DOÑA SOL

Vous avez bien tardé, seigneur! Mais dites-moi
50 Si vous avez froid.

---

1. Royaume du nord-est de l'Espagne.

HERNANI

Moi! je brûle près de toi!
Ah! quand l'amour jaloux bouillonne dans nos têtes,
Quand notre cœur se gonfle et s'emplit de tempêtes,
Qu'importe ce que peut un nuage des airs
Nous jeter en passant de tempête et d'éclairs!

DOÑA SOL, *lui défaisant son manteau.*
55 Allons! donnez la cape, — et l'épée avec elle.
                    Hernani, la main sur son épée.
Non. C'est mon autre amie, innocente et fidèle.
— Doña Sol, le vieux duc, votre futur époux,
Votre oncle, est donc absent?

DOÑA SOL

                    Oui, cette heure est à
                    [nous.

HERNANI

Cette heure! et voilà tout. Pour nous, plus rien qu'une heure!
60 Après, qu'importe? il faut qu'on oublie ou qu'on meure.
Ange! une heure avec vous! une heure, en vérité,
A qui voudrait la vie, et puis l'éternité!

DOÑA SOL

Hernani!

HERNANI, *amèrement.*
            Que je suis heureux que le duc sorte!
Comme un larron[1] qui tremble et qui force une porte,
65 Vite, j'entre, et vous vois, et dérobe au vieillard
Une heure de vos chants et de votre regard;
Et je suis bien heureux, et sans doute on m'envie
De lui voler une heure, et lui me prend ma vie!

DOÑA SOL

Calmez-vous.
                    Remettant le manteau à la duègne.
Josefa, fais sécher le manteau.

---

1. Brigand, voleur.

Josefa sort. Elle s'assied et fait signe à Hernani de venir
près d'elle.
70 Venez là.

HERNANI, *sans l'entendre.*

Donc le duc est absent du château?

DOÑA SOL, *souriant.*

Comme vous êtes grand!

HERNANI

Il est absent.

DOÑA SOL

Chère âme,
Ne pensons plus au duc.

HERNANI

Ah! pensons-y, madame!
Ce vieillard! il vous aime, il va vous épouser!
Quoi donc! vous prit-il pas l'autre jour un baiser?
75 N'y plus penser!

DOÑA SOL, *riant.*

C'est là ce qui vous désespère!
Un baiser d'oncle! au front! presque un baiser de père!

HERNANI

Non. Un baiser d'amant, de mari, de jaloux.
Ah! vous serez à lui, madame! Y pensez-vous?
Ô l'insensé vieillard, qui, la tête inclinée,
80 Pour achever sa route et finir sa journée[1],
A besoin d'une femme, et va, spectre glacé,
Prendre une jeune fille! ô vieillard insensé!
Pendant que d'une main il s'attache à la vôtre,
Ne voit-il pas la mort qui l'épouse de l'autre?
85 Il vient dans nos amours se jeter sans frayeur!
Vieillard! va-t'en donner mesure au fossoyeur[2]!

---

1. Pour finir sa vie.
2. Celui qui creuse les fosses dans les cimetières.

— Qui fait ce mariage? On vous force, j'espère!

DOÑA SOL

Le roi, dit-on, le veut.

HERNANI

Le roi! le roi! Mon père

Est mort sur l'échafaud, condamné par le sien[1].
90 Or, quoiqu'on ait vieilli depuis ce fait ancien,
Pour l'ombre du feu roi, pour son fils, pour sa veuve,
Pour tous les siens, ma haine est encor[2] toute neuve!
Lui, mort, ne compte plus. Et, tout enfant, je fis
Le serment de venger mon père sur son fils.
95 Je te cherchais partout, Carlos, roi des Castilles[3]!
Car la haine est vivace entre nos deux familles.
Les pères ont lutté sans pitié, sans remords,
Trente ans! Or, c'est en vain que les pères sont morts,
Leur haine vit. Pour eux la paix n'est point venue,
100 Car les fils sont debout, et le duel[4] continue.
Ah! c'est donc toi qui veux cet exécrable hymen[5]!
Tant mieux. Je te cherchais, tu viens dans mon chemin!

DOÑA SOL

Vous m'effrayez.

HERNANI

Chargé d'un mandat d'anathème[6],

Il faut que j'en arrive à m'effrayer moi-même!
105 Ecoutez. L'homme auquel, jeune, on vous destina,
Ruy de Sylva, votre oncle, est duc de Pastraña,
Richomme[7] d'Aragon, comte et grand[8] de Castille.

---

1. Le père du roi don Carlos est Philippe le Beau (1478-1506), archiduc d'Autriche, roi de Castille et prince des Pays-Bas.
2. Pour « encore » par licence poétique.
3. Roi des deux Castilles : le Vieille et la Nouvelle Castille.
4. A prononcer en une seule syllabe (synérèse).
5. Mariage.
6. Chargé d'une mission synonyme de condamnation.
7. Du castillan « rico hombre », titre de riches propriétaires terriens.
8. Membre de la plus haute noblesse espagnole et du conseil du roi.

A défaut de jeunesse, il peut, ô jeune fille,
Vous apporter tant d'or, de bijoux, de joyaux,
110 Que votre front reluise entre des fronts royaux,
Et pour le rang, l'orgueil, la gloire et la richesse,
Mainte reine peut-être enviera sa duchesse.
Voilà donc ce qu'il est. Moi, je suis pauvre, et n'eus,
Tout enfant, que les bois où je fuyais pieds nus.
115 Peut-être aurai-je aussi quelque blason[1] illustre
Qu'une rouille de sang à cette heure délustre[2];
Peut-être ai-je des droits, dans l'ombre ensevelis,
Qu'un drap d'échafaud noir[3] cache encor sous ses plis,
Et qui, si mon attente un jour n'est pas trompée,
120 Pourront de ce fourreau sortir avec l'épée.
En attendant, je n'ai reçu du ciel jaloux
Que l'air, le jour et l'eau, la dot qu'il donne à tous.
Or du duc ou de moi souffrez qu'on vous délivre.
Il faut choisir des deux, l'épouser, ou me suivre.

DOÑA SOL

125 Je vous suivrai.

HERNANI

            Parmi mes rudes compagnons?
Proscrits[4] dont le bourreau sait d'avance les noms,
Gens dont jamais le fer[5] ni le cœur ne s'émousse,
Ayant tous quelque sang à venger qui les pousse?
Vous viendrez commander ma bande[6], comme on dit?
130 Car, vous ne savez pas, moi, je suis un bandit!
Quand tout me poursuivait dans toutes les Espagnes,
Seule, dans ses forêts, dans ses hautes montagnes,
Dans ses rocs où l'on n'est que de l'aigle aperçu,

---

    1. Emblème d'une famille noble.
    2. Dont elle ôte le lustre, c'est-à-dire le brillant, l'éclat.
    3. Allusion au drap qui recouvrait l'échafaud sur lequel le père
d'Hernani a été exécuté (voir le v. 89).
    4. Hors-la-loi dont le nom est porté sur une liste à la connais-
sance du public.
    5. Le fer de l'épée.
    6. Au sens premier, groupe d'hommes qui combattent sous la
bannière d'un même chef.

La vieille Catalogne[1] en mère m'a reçu.
135 Parmi ses montagnards, libres, pauvres, et graves,
Je grandis, et demain trois mille de ses braves,
Si ma voix dans leurs monts fait résonner ce cor,
Viendront... Vous frissonnez. Réfléchissez encor.
Me suivre dans les bois, dans les monts, sur les grèves,
140 Chez des hommes pareils aux démons de vos rêves,
Soupçonner tout, les yeux, les voix, les pas, le bruit,
Dormir sur l'herbe, boire au torrent, et la nuit
Entendre, en allaitant quelque enfant qui s'éveille
Les balles des mousquets[2] siffler à votre oreille,
145 Etre errante avec moi, proscrite, et, s'il le faut,
Me suivre où je suivrai mon père, — à l'échafaud.

DOÑA SOL

Je vous suivrai.

HERNANI

Le duc est riche, grand, prospère.
Le duc n'a pas de tache au vieux nom de son père.
Le duc peut tout. Le duc vous offre avec sa main
150 Trésors, titres, bonheur...

DOÑA SOL

Nous partirons demain.
Hernani, n'allez pas sur mon audace étrange
Me blâmer. Etes-vous mon démon ou mon ange?
Je ne sais, mais je suis votre esclave. Ecoutez,
Allez où vous voudrez, j'irai. Restez, partez,
155 Je suis à vous. Pourquoi fais-je ainsi? je l'ignore.
J'ai besoin de vous voir et de vous voir encore
Et de vous voir toujours. Quand le bruit de vos pas
S'efface, alors je crois que mon cœur ne bat pas,
Vous me manquez, je suis absente de moi-même;
160 Mais dès qu'enfin ce pas que j'attends et que j'aime

1. Province du royaume d'Aragon, rattachée à l'Espagne au
début du XVIᵉ siècle.
2. Anciennes armes à feu portatives (avant l'apparition du fusil).

Vient frapper mon oreille, alors il me souvient
Que je vis, et je sens mon âme qui revient !

HERNANI, *la serrant dans ses bras.*
Ange !

DOÑA SOL
A minuit. Demain. Amenez votre escorte,
Sous ma fenêtre. Allez, je serai brave et forte.
165 Vous frapperez trois coups.

HERNANI
Savez-vous qui je suis,
Maintenant ?

DOÑA SOL
Monseigneur, qu'importe ! je vous suis.

HERNANI
Non, puisque vous voulez me suivre, faible femme,
Il faut que vous sachiez quel nom, quel rang, quelle
[âme,
Quel destin est caché dans le pâtre[1] Hernani.
170 Vous vouliez d'un brigand, voulez-vous d'un banni[2] ?

DON CARLOS, *ouvrant avec fracas la porte de l'armoire.*
Quand aurez-vous fini de conter votre histoire ?
Croyez-vous donc qu'on soit à l'aise en cette armoire ?
Hernani recule étonné. Doña Sol pousse un cri et se réfu-
gie dans ses bras, en fixant sur don Carlos des yeux effa-
rés.

HERNANI, *la main sur la garde de son épée.*
Quel est cet homme ?

DOÑA SOL
Ô ciel ! Au secours !

---

1. Au sens de guide, de chef plutôt que de berger.
2. Un homme mis au ban de son pays c'est-à-dire condamné à
l'exil.

HERNANI

Taisez-vous,
Doña Sol! vous donnez l'éveil aux yeux jaloux[1].
175 Quand je suis près de vous, veuillez, quoi qu'il
[advienne,
Ne réclamer jamais d'autre aide que la mienne.

A don Carlos.

Que faisiez-vous là?

DON CARLOS

Moi? mais, à ce qu'il paraît,
Je ne chevauchais pas à travers la forêt.

HERNANI

Qui raille après l'affront s'expose à faire rire
180 Aussi son héritier.

DON CARLOS

Chacun son tour! — Messire,
Parlons franc. Vous aimez madame et ses yeux noirs,
Vous y venez mirer les vôtres tous les soirs,
C'est fort bien. J'aime aussi madame, et veux connaître
Qui j'ai vu tant de fois entrer par la fenêtre,
185 Tandis que je restais à la porte.

HERNANI

En honneur.
Je vous ferai sortir par où j'entre, seigneur.

DON CARLOS

Nous verrons. J'offre donc mon amour à madame.
Partageons. Voulez-vous? J'ai vu dans sa belle âme
Tant d'amour, de bonté, de tendres sentiments,
190 Que madame, à coup sûr, en a pour deux amants.
Or, ce soir, voulant mettre à fin[2] mon entreprise,

---

1. Vous risquez de réveiller ceux qui sont chargés de votre surveillance.
2. Faire aboutir.

Pris, je pense, pour vous, j'entre ici par surprise,
Je me cache, j'écoute, à ne vous celer[1] rien;
Mais j'entendais très mal et j'étouffais très bien.
195 Et puis je chiffonnais ma veste à la française[2].
Ma foi, je sors!

HERNANI

Ma dague[3] aussi n'est pas à l'aise.

Et veut sortir.

DON CARLOS, le saluant.

Monsieur, c'est comme il vous plaira.

HERNANI, tirant son épée.

En garde!

Don Carlos tire son épée.

DOÑA SOL, se jetant entre eux.

Hernani! ciel!

DON CARLOS

Calmez-vous, señora.

HERNANI, à don Carlos.

Dites-moi votre nom.

DON CARLOS

Hé! dites-moi le vôtre!

HERNANI

200 Je le garde, secret et fatal, pour un autre
Qui doit un jour sentir, sous mon genou vainqueur,
Mon nom à son oreille, et ma dague à son cœur!

DON CARLOS

Alors, quel est le nom de l'autre?

1. Cacher (le terme est vieilli).
2. Habit à collet droit porté à la cour.
3. Epée courte portée au côté droit.

HERNANI

Que t'importe?

En garde! défends-toi!
Ils croisent leurs épées. Doña Sol tombe tremblante sur un
fauteuil. On entend des coups à la porte.

DOÑA SOL, *se levant avec effroi.*

Ciel! on frappe à la porte!
Les champions[1] s'arrêtent. Entre Josefa par la petite porte
et tout effarée.

HERNANI, *à Josefa.*

205 Qui frappe ainsi?

DOÑA JOSEFA, *à doña Sol.*

Madame! un coup inattendu!
C'est le duc qui revient!

DOÑA SOL, *joignant les mains.*

Le duc! tout est perdu!
Malheureuse!

DOÑA JOSEFA, *jetant les yeux autour d'elle.*

Jésus! l'inconnu! des épées!
On se battait. Voilà de belles équipées[2]!
Les deux combattants remettent leurs épées dans le four-
reau. Don Carlos s'enveloppe dans son manteau et rabat
son chapeau sur ses yeux.

On frappe.

HERNANI

Que faire?

On frappe.

Une voix, *au dehors.*

Doña Sol, ouvrez-moi!
Doña Josefa fait un pas vers la porte. Hernani l'arrête.

HERNANI

N'ouvrez pas.

1. Combattants rivaux, duellistes.
2. Aventures.

DOÑA JOSEFA, *tirant son chapelet.*
210 Saint-Jacques monseigneur[1]! tirez-nous de ce pas!
On frappe de nouveau.

HERNANI, *montrant l'armoire à don Carlos.*
Cachons-nous.

DON CARLOS
Dans l'armoire?

HERNANI, *montrant la porte.*
                                    Entrez-y. Je m'en charge.
Nous y tiendrons tous deux.

DON CARLOS
                                    Grand merci, c'est trop large.

HERNANI, *montrant la petite porte.*
Fuyons par là.

DON CARLOS
                    Bonsoir. Pour moi, je reste ici.

HERNANI
Ah! tête et sang! monsieur, vous me paierez ceci!
                                                    A doña Sol.
215 Si je barricadais l'entrée?

DON CARLOS, *à Josefa.*
                                    Ouvrez la porte.

HERNANI
Que dit-il?

DON CARLOS, *à Josefa interdite.*
                    Ouvrez donc, vous dis-je!
On frappe toujours. Doña Josefa va ouvrir en tremblant.

DOÑA SOL
                                    Je suis morte!

___

1. Saint Jacques est le patron de l'Espagne.

SCÈNE III

LES MÊMES, DON RUY GOMEZ DE SILVA, *barbe et cheveux blancs; en noir. Valets avec des flambeaux.*

DON RUY GOMEZ

Des hommes chez ma nièce à cette heure de nuit!
Venez tous! cela vaut la lumière et le bruit.

A doña Sol.

Par Saint-Jean d'Avila[1], je crois que, sur mon âme,
220 Nous sommes trois chez vous! C'est trop de deux,
[madame.

Aux deux jeunes gens.

Mes jeunes cavaliers, que faites-vous céans[2]? —
Quand nous avions le Cid et Bernard[3], ces géants
De l'Espagne et du monde allaient par les Castilles
Honorant les vieillards et protégeant les filles.
225 C'étaient des hommes forts et qui trouvaient moins
[lourds
Leur fer et leur acier que vous votre velours.
Ces hommes-là portaient respect aux barbes grises,
Faisaient agenouiller leur amour aux églises[4],
Ne trahissaient personne, et donnaient pour raison
230 Qu'ils avaient à garder l'honneur de leur maison.
S'ils voulaient une femme, ils la prenaient sans tache,
En plein jour, devant tous, et l'épée, ou la hache,
Ou la lance à la main. — Et quant à ces félons
Qui, le soir, et les yeux tournés vers leurs talons[5],
235 Ne fiant[6] qu'à la nuit leurs manœuvres infâmes,
Par-derrière aux maris volent l'honneur des femmes,
J'affirme que le Cid, cet aïeul de nous tous,
Les eût tenus pour vils et fait mettre à genoux,

---

1. Célèbre prédicateur espagnol du XVIe siècle.
2. Voir la note du vers 18.
3. Le Cid (Don Rodrigue de Bivar) et Bernardo del Carpio sont des héros légendaires du Moyen Age espagnol.
4. Ne concevaient l'amour que dans le cadre d'un mariage religieux.
5. De peur d'être suivis.
6. « Fier » a ici le sens de « faire avec confiance ».

Et qu'il eût, dégradant leur noblesse usurpée,
240 Souffleté leur blason du plat de son épée[1]!
Voilà ce que feraient, j'y songe avec ennui,
Les hommes d'autrefois aux hommes d'aujourd'hui.
— Qu'êtes-vous venus faire ici? C'est donc à dire
Que je ne suis qu'un vieux dont les jeunes vont rire?
245 On va rire de moi, soldat de Zamora[2]?
Et quand je passerai, tête blanche, on rira?
Ce n'est pas vous, du moins, qui rirez!

HERNANI

Duc...

DON RUY GOMEZ

Silence!
Quoi! vous avez l'épée, et la dague, et la lance,
La chasse, les festins, les meutes, les faucons[3],
250 Les chansons à chanter le soir sous les balcons,
Les plumes au chapeau, les casaques[4] de soie,
Les bals, les carrousels[5], la jeunesse, la joie,
Enfants, l'ennui vous gagne! A tout prix, au hasard,
Il vous faut un hochet. Vous prenez un vieillard.
255 Ah! vous l'avez brisé, le hochet! mais Dieu fasse
Qu'il vous puisse en éclats rejaillir à la face!
Suivez-moi[6]!

HERNANI

Seigneur duc...

DON RUY GOMEZ

Suivez-moi! suivez-moi!
Messieurs, avons-nous fait cela pour rire? Quoi!
Un trésor est chez moi. C'est l'honneur d'une fille,
260 D'une femme, l'honneur de toute une famille;

---

1. Par ce geste symbolique, le Cid mettrait en doute leur noblesse.
2. Ville du Léon au nord-ouest de l'Espagne où furent livrées plusieurs batailles.
3. Allusion aux chasses à courre (« les meutes ») et à l'oiseau (« les faucons ») pratiquées par les nobles.
4. Vêtements de dessus à larges manches.
5. Parades à cheval.
6. Il s'agit d'une provocation en duel.

Cette fille, je l'aime, elle est ma nièce, et doit
Bientôt changer sa bague à l'anneau de mon doigt[1];
Je la crois chaste et pure, et sacrée à tout homme;
Or il faut que je sorte une heure, et moi qu'on nomme
265 Ruy Gomez de Silva, je ne puis l'essayer[2]
Sans qu'un larron d'honneur[3] se glisse à mon foyer!
Arrière! lavez donc vos mains, hommes sans âmes,
Car, rien qu'en y touchant, vous nous tachez nos femmes.
Non. C'est bien. Poursuivez. Ai-je autre chose encor?
                              Il arrache son collier.
270 Tenez, foulez aux pieds, foulez ma toison d'or[4]!
                              Il jette son chapeau.
Arrachez mes cheveux, faites-en chose vile!
Et vous pourrez demain vous vanter par la ville
Que jamais débauchés, dans leurs jeux insolents,
N'ont sur plus noble front souillé cheveux plus
                                                [blancs!

DOÑA SOL

275 Monseigneur...

DON RUY GOMEZ, à ses valets.

                    Ecuyers! écuyers! à mon aide!
Ma hache, mon poignard, ma dague de Tolède[5]!
                              Aux deux jeunes gens.
Et suivez-moi tous deux!

DON CARLOS, faisant un pas.

                              Duc, ce n'est pas d'abord
De cela qu'il s'agit. Il s'agit de la mort
De Maximilien[6], empereur d'Allemagne.

1. M'épouser.
2. Me risquer à sortir.
3. Un homme qui me vole mon honneur.
4. Ordre de chevalerie institué en 1429 par le duc de Bourgogne, Philippe le Bon, et symbolisé par un collier portant un bélier
en or.
5. Ville de Castille renommée pour l'acier de ses armes.
6. Maximilien Ier d'Autriche était empereur du Saint Empire
romain germanique depuis 1508. Le titre impérial n'était pas trans-
missible par voie héréditaire. Il s'agit donc d'élire le nouvel empereur.

Il jette son manteau, et découvre son visage caché par son chapeau.

DON RUY GOMEZ

280 Raillez-vous?... — Dieu! le roi!

DOÑA SOL
Le roi!

HERNANI, *dont les yeux s'allument.*
Le roi
[d'Espagne!

DON CARLOS, *gravement.*

Oui, Carlos. — Seigneur duc, es-tu donc insensé?
Mon aïeul l'empereur est mort. Je ne le sai[1]
Que de ce soir. Je viens, tout en hâte, et moi-même,
Dire la chose, à toi, féal[2] sujet que j'aime,
285 Te demander conseil, incognito, la nuit,
Et l'affaire est bien simple, et voilà bien du bruit!
Don Ruy Gomez renvoie ses gens d'un signe. Il s'approche de don Carlos que doña Sol examine avec crainte et surprise, et sur lequel Hernani, demeuré dans un coin, fixe des yeux étincelants.

DON RUY GOMEZ

Mais pourquoi tarder tant à m'ouvrir cette porte?

DON CARLOS

Belle raison! tu viens avec toute une escorte!
Quand un secret d'Etat m'amène en ton palais,
290 Duc, est-ce pour l'aller dire à tous tes valets?

DON RUY GOMEZ

Altesse, pardonnez! l'apparence...

DON CARLOS
Bon père,

---

1. Licence orthographique pour la rime.
2. Fidèle (terme médiéval).

Je t'ai fait gouverneur du château de Figuère[1],
Mais qui dois-je à présent faire ton gouverneur[2]?

DON RUY GOMEZ

Pardonnez...

DON CARLOS

Il suffit. N'en parlons plus, seigneur.
295 Donc l'empereur est mort.

DON RUY GOMEZ

L'aïeul de votre altesse
Est mort?

DON CARLOS

Duc, tu m'en vois pénétré de tristesse.

DON RUY GOMEZ

Qui lui succède?

DON CARLOS

Un duc de Saxe est sur les rangs[3].
François premier, de France, est un des concurrents[4].

DON RUY GOMEZ

Où vont se rassembler les électeurs d'empire?

DON CARLOS

300 Ils ont choisi, je crois, Aix-la-Chapelle, ou Spire,
Ou Francfort[5].

DON RUY GOMEZ

Notre roi, dont Dieu garde les jours,

1. Figueras, ville de Catalogne.
2. Ici au sens de précepteur (chargé de l'éducation des enfants).
3. Il s'agit de Frédéric III « le Sage », électeur de Saxe (1486-1525).
4. François Ier (1494-1547), soutenu par le Pape, s'était effectivement porté candidat.
5. Parmi ces trois anciennes capitales du Saint Empire, Francfort fut finalement choisi comme lieu de l'élection et Aix-la-Chapelle comme lieu du sacre.

N'a-t-il pensé jamais à l'empire?

DON CARLOS
                                        Toujours.

DON RUY GOMEZ
C'est à vous qu'il revient[1].

DON CARLOS
                              Je le sais.

DON RUY GOMEZ
                                        Votre père
Fut archiduc d'Autriche, et l'empire, j'espère,
305 Aura ceci présent, que c'était votre aïeul,
Celui qui vient de choir de la pourpre[2] au linceul.

DON CARLOS
Et puis, on est bourgeois de Gand[3].

DON RUY GOMEZ
                                        Dans mon jeune âge
Je le vis, votre aïeul. Hélas! seul je surnage
D'un siècle tout entier[4]. Tout est mort à présent.
310 C'était un empereur magnifique et puissant!

DON CARLOS
Rome[5] est pour moi.

DON RUY GOMEZ
                        Vaillant, ferme, point tyrannique.
Cette tête allait bien au vieux corps germanique!
                    Il s'incline sur les mains du roi et les baise.
Que je vous plains! Si jeune, en un tel deuil plongé!

---

    1. Don Carlos, archiduc d'Autriche, a l'avantage d'être le des-
cendant direct (le petit-fils) de l'empereur Maximilien Ier.
    2. La pourpre impériale.
    3. Don Carlos est né à Gand, dans le comté de Flandre, en
1500, ce qui lui donne la « citoyenneté d'Empire » indispensable
pour être élu.
    4. Don Ruy a vécu l'essentiel de son existence au XVe siècle.
    5. Don Carlos compte sur le soutien du pape.

DON CARLOS

Le pape veut ravoir la Sicile, que j'ai[1] ;
315 Un empereur ne peut posséder la Sicile,
Il me fait empereur ; alors, en fils docile,
Je lui rends Naple[2]. Ayons l'aigle[3], et puis nous verrons
Si je lui laisserai rogner les ailerons.

DON RUY GOMEZ

Qu'avec joie il verrait, ce vétéran du trône[4],
320 Votre front déjà large aller à sa couronne !
Ah ! seigneur, avec vous nous le pleurerons bien,
Cet empereur très grand, très bon et très chrétien !

DON CARLOS

Le saint-père est adroit. — Qu'est-ce que la Sicile ?
C'est une île qui pend à mon royaume, une île,
325 Une pièce, un haillon, qui, tout déchiqueté,
Tient à peine à l'Espagne et qui traîne à côté.
— Que ferez-vous, mon fils, de cette île bossue
Au monde impérial au bout d'un fil cousue[5] ?
Votre empire est mal fait : vite, venez ici,
330 Des ciseaux ! et coupons[6] ! — Très saint-père, merci !
Car de ces pièces-là, si j'ai bonne fortune[7],
Je compte au saint-empire en recoudre plus d'une,
Et, si quelques lambeaux m'en étaient arrachés,
Rapiécer mes Etats d'îles et de duchés !

DON RUY GOMEZ

335 Consolez-vous ! il est un empire des justes[8]
Où l'on revoit les morts plus saints et plus augustes !

---

1. Depuis le XIIIe siècle, le pape intervient pour désigner le souverain des royaumes de Naples et de Sicile. Or depuis 1514 ceux-ci appartiennent au royaume d'Aragon dont Carlos est l'héritier.
2. Naples (en Italie) appartient au « royaume des Deux-Siciles ».
3. L'aigle, symbole de l'empire.
4. Ce vieil empereur.
5. Cousue au bout d'un fil comme un morceau de l'Empire.
6. Réplique du pape dans un dialogue imaginé par don Carlos.
7. Si je suis élu empereur.
8. Le Ciel, le Paradis.

DON CARLOS

Ce roi François premier, c'est un ambitieux!
Le vieil empereur meurt. Vite il fait les doux yeux
A l'empire! A-t-il pas sa France très chrétienne?
340 Ah! la part est pourtant belle, et vaut qu'on s'y tienne!
L'empereur mon aïeul disait au roi Louis[1] :
— Si j'étais Dieu le Père, et si j'avais deux fils,
Je ferais l'aîné Dieu, le second roi de France. —

Au duc.

Crois-tu que François puisse avoir quelque espérance?

DON RUY GOMEZ

345 C'est un victorieux[2].

DON CARLOS

                    Il faudrait tout changer.
La bulle d'or[3] défend d'élire un étranger.

DON RUY GOMEZ

A ce compte, seigneur, vous êtes roi d'Espagne?

DON CARLOS

Je suis bourgeois de Gand.

DON RUY GOMEZ

                    La dernière campagne[4]
A fait monter bien haut le roi François premier.

DON CARLOS

350 L'aigle qui va peut-être éclore à mon cimier[5]
Peut aussi déployer ses ailes.

1. Le roi de France Louis XII qui régna de 1498 à 1515.
2. Un homme avide de victoire.
3. Règlement des élections au trône du Saint Empire frappé du
sceau impérial et promulgué par Charles IV en 1356.
4. La campagne d'Italie et la victoire de Marignan en 1515.
5. Ornement formant la partie supérieure d'un casque.

DON RUY GOMEZ
Votre altesse
Sait-elle le latin[1]?

DON CARLOS
Mal.

DON RUY GOMEZ
Tant pis. La noblesse
D'Allemagne aime fort qu'on lui parle latin.

DON CARLOS
Ils se contenteront d'un espagnol hautain;
355 Car il importe peu, croyez-en le roi Charle[2],
Quand la voix parle haut, quelle langue elle parle.
— Je vais en Flandre. Il faut que ton roi, cher Silva,
Te revienne empereur. Le roi de France va
Tout remuer. Je veux le gagner de vitesse.
360 Je partirai sous peu.

DON RUY GOMEZ
Vous nous quittez, altesse,
Sans purger l'Aragon de ces nouveaux bandits
Qui partout dans nos monts lèvent leurs fronts hardis?

DON CARLOS
J'ordonne au duc d'Arcos d'exterminer la bande.

DON RUY GOMEZ
Donnez-vous aussi l'ordre au chef qui la commande
365 De se laisser faire?

DON CARLOS
Hé! quel est ce chef? son nom?

DON RUY GOMEZ
Je l'ignore. On le dit un rude compagnon.

1. Le latin était la langue officielle du Saint Empire.
2. C'est-à-dire don Carlos.

DON CARLOS

Bah ! je sais que pour l'heure il se cache en Galice [1],
Et j'en aurai raison avec quelque milice.

DON RUY GOMEZ

De faux avis alors le disaient près d'ici.

DON CARLOS

370 Faux avis ! — Cette nuit, tu me loges.

DON RUY GOMEZ, *s'inclinant jusqu'à terre.*
                                                     Merci,
Altesse !
                                        Il appelle ses valets.
            Faites tous honneur au roi mon hôte.
*Les valets rentrent avec des flambeaux. Le duc les range
sur deux haies jusqu'à la porte du fond. Cependant doña
Sol s'approche lentement d'Hernani. Le roi les épie tous
deux.*

DOÑA SOL, *bas à Hernani.*

Demain, sous ma fenêtre, à minuit, et sans faute.
Vous frapperez des mains trois fois.

HERNANI, *bas.*
                                                  Demain.

DON CARLOS, *à part.*
                                                  Demain !
Haut à doña Sol vers laquelle il fait un pas avec galanterie.
Souffrez que pour rentrer je vous offre la main.
                            Il la reconduit à la porte. Elle sort.

HERNANI, *la main dans sa poitrine sur la poignée de sa
                                    dague.*

375 Mon bon poignard !

DON CARLOS, *revenant, à part.*
                        Notre homme a la mine attrapée [2].
                                        Il prend à part Hernani.
Je vous ai fait l'honneur de toucher votre épée,

---

1. Province du nord-ouest de l'Espagne.
2. L'air déçu.

Monsieur. Vous me seriez suspect pour cent raisons.
Mais le roi don Carlos répugne aux trahisons.
Allez. Je daigne encor protéger votre fuite.

    DON RUY GOMEZ, *revenant et montrant Hernani...*
380 Qu'est ce seigneur ?

               DON CARLOS
           Il part. C'est quelqu'un de ma suite.
Ils sortent avec les valets et les flambeaux, le duc précé-
dant le roi, une cire à la main.

SCÈNE IV

        HERNANI, *seul.*
Oui, de ta suite, ô roi ! de ta suite ! — J'en suis.
Nuit et jour, en effet, pas à pas, je te suis.
Un poignard à la main, l'œil fixé sur ta trace,
Je vais. Ma race en moi poursuit en toi ta race[1] !
385 Et puis, te voilà donc mon rival ! Un instant,
Entre aimer et haïr je suis resté flottant[2],
Mon cœur pour elle et toi n'était point assez large,
J'oubliais en l'aimant ta haine qui me charge ;
Mais puisque tu le veux, puisque c'est toi qui viens
390 Me faire souvenir, c'est bon, je me souviens !
Mon amour fait pencher la balance incertaine,
Et tombe tout entier du côté de ma haine.
Oui, je suis de ta suite, et c'est toi qui l'as dit !
Va, jamais courtisan de ton lever maudit,
395 Jamais seigneur baisant ton ombre, ou majordome[3]
Ayant à te servir abjuré son cœur d'homme[4],
Jamais chiens de palais[5] dressés à suivre un roi

    1. Allusion au projet de vengeance familiale d'Hernani.
    2. Hésitant.
    3. Chef des domestiques d'une grande maison.
    4. Ayant renoncé à sa liberté d'homme.
    5. Au sens propre « animaux domestiques » et au sens figuré
« serviteurs » ou « courtisans » bien « dressés ».

Ne seront sur tes pas plus assidus que moi!
Ce qu'ils veulent de toi, tous ces grands de Castille,
400 C'est quelque titre creux, quelque hochet qui brille,
C'est quelque mouton d'or [1] qu'on se va pendre au cou;
Moi, pour vouloir si peu je ne suis pas si fou!
Ce que je veux de toi, ce n'est point faveurs vaines,
C'est l'âme de ton corps, c'est le sang de tes veines,
405 C'est tout ce qu'un poignard, furieux et vainqueur,
En y fouillant longtemps peut prendre au fond d'un
[cœur.
Va devant! je te suis. Ma vengeance qui veille
Avec moi toujours marche et me parle à l'oreille.
Va! je suis là, j'épie et j'écoute, et sans bruit
410 Mon pas cherche ton pas et le presse et le suit!
Le jour tu ne pourras, ô roi, tourner la tête
Sans me voir immobile et sombre dans ta fête;
La nuit tu ne pourras tourner les yeux, ô roi,
Sans voir mes yeux ardents luire derrière toi!
                              Il sort par la petite porte.

1. Allusion au collier de la Toison d'or (voir la note du vers 270).

ACTE DEUXIÈME

LE BANDIT

SARAGOSSE

Un patio[1] du palais de Silva. A gauche, les grands murs du palais, avec une fenêtre à balcon. Au-dessous de la fenêtre, une petite porte. A droite et au fond, des maisons et des rues. — Il est nuit. On voit briller çà et là, aux façades des édifices, quelques fenêtres encore éclairées.

SCÈNE PREMIÈRE

DON CARLOS, DON SANCHO SANCHEZ DE ZUNIGA, *comte de Monterey*, DON MATIAS CENTURION, *marquis d'Almuñan*, DON RICARDO DE ROXAS, *seigneur de Casapalma*.
Ils arrivent tous quatre, don Carlos en tête, chapeaux rabattus, enveloppés de longs manteaux dont leurs épées soulèvent le bord inférieur.

DON CARLOS, *examinant le balcon*.
415 Voilà bien le balcon, la porte... Mon sang bout.
Montrant la fenêtre qui n'est pas éclairée.
Pas de lumière encor!

---

1. Une cour intérieure.

Il promène ses yeux sur les autres croisées éclairées.
                                  Des lumières partout
Où je n'en voudrais pas, hors à cette fenêtre
Où j'en voudrais!

                    DON SANCHO
                         Seigneur, reparlons de ce traître.
Et vous l'avez laissé partir!

                    DON CARLOS
                              Comme tu dis.

                    DON MATIAS
420 Et peut-être c'était le major[1] des bandits!

                    DON CARLOS
Qu'il en soit le major ou bien le capitaine[2],
Jamais roi couronné n'eut mine plus hautaine.

                    DON SANCHO
Son nom, seigneur?

          DON CARLOS, *les yeux fixés sur la fenêtre.*
                         Muñoz... Fernan...
Avec le geste d'un homme qui se rappelle tout à coup.
                                        Un nom en i.

                    DON SANCHO
Hernani, peut-être?

                    DON CARLOS
                    Oui.

                    DON SANCHO
                         C'est lui!

                    DON MATIAS
                              C'est Hernani?
425 Le chef!

          1. Le chef.
          2. Don Carlos joue sur les mots : « major » et « capitaine » sont
des grades d'officiers d'une armée régulière.

DON SANCHO, *au roi.*
De ses propos vous reste-t-il mémoire ?

DON CARLOS, *qui ne quitte pas la fenêtre des yeux.*
Hé ! je n'entendais rien dans leur maudite armoire !

DON SANCHO
Mais pourquoi le lâcher lorsque vous le tenez ?
Don Carlos se tourne gravement et le regarde en face.

DON CARLOS
Comte de Monterey, vous me questionnez [1].
                Les deux seigneurs reculent et se taisent.
Et d'ailleurs ce n'est point le souci qui m'arrête.
430 J'en veux à sa maîtresse et non point à sa tête.
J'en suis amoureux fou ! Les yeux noirs les plus beaux,
Mes amis ! deux miroirs ! deux rayons ! deux flambeaux !
Je n'ai bien entendu de toute leur histoire
Que ces trois mots : — Demain, venez à la nuit noire !
435 Mais c'est l'essentiel. Est-ce pas excellent ?
Pendant que ce bandit, à mine de galant,
S'attarde à quelque meurtre, à creuser quelque tombe,
Je viens tout doucement dénicher sa colombe.

DON RICARDO
Altesse, il eût fallu, pour compléter le tour,
440 Dénicher la colombe en tuant le vautour.

DON CARLOS, *à don Ricardo.*
Comte ! un digne conseil ! vous avez la main prompte !
Don Ricardo, s'inclinant profondément.
Sous quel titre plaît-il au roi que je sois comte ?

DON SANCHO, *vivement.*
C'est méprise !

---

1. Don Carlos rappelle que nul n'a le droit d'interroger le roi.
« Questi-onnez » doit être prononcé en quatre syllabes (diérèse).

DON RICARDO, *à don Sancho.*
Le roi m'a nommé comte.

DON CARLOS
                                    Assez!
Bien.
                                    A Ricardo.
J'ai laissé tomber ce titre. Ramassez.

DON RICARDO, *s'inclinant à nouveau.*
445 Merci, seigneur!

DON SANCHO, *à don Matias.*
          Beau comte! un comte de surprise[1].
Le roi se promène au fond, examinant avec impatience les
fenêtres éclairées. Les deux seigneurs causent sur le devant.

DON MATIAS, *à don Sancho.*
Mais que fera le roi, la belle une fois prise?

DON SANCHO, *regardant Ricardo de travers.*
Il la fera comtesse, et puis dame d'honneur.
Puis, qu'il en ait un fils, il sera roi.

DON MATIAS
                                    Seigneur,
Allons donc! un bâtard[2]! Comte, fût-on altesse,
450 On ne saurait tirer un roi d'une comtesse!

DON SANCHO
Il la fera marquise, alors, mon cher marquis.

DON MATIAS
On garde les bâtards pour les pays conquis.
On les fait vice-rois[3]. C'est à cela qu'ils servent.

---

1. Un titre de comte obtenu par surprise.
2. L'enfant d'un roi et d'une femme qui n'est pas de sang royal.
3. Gouverneurs nommés par le roi dans certaines parties de son
royaume.

Don Carlos revient.

DON CARLOS, *regardant avec colère toutes les fenêtres*
éclairées.

Dirait-on pas des yeux jaloux qui nous observent?
455 Enfin! en voilà deux qui s'éteignent! allons!
Messieurs, que les instants de l'attente sont longs!
Qui fera marcher l'heure avec plus de vitesse?

DON SANCHO

C'est ce que nous disons souvent chez votre altesse.

DON CARLOS

Cependant que chez vous mon peuple le redit.
La dernière fenêtre éclairée s'éteint.
460 — La dernière est éteinte!
Tourné vers le balcon de doña Sol toujours noir.
                                        Ô vitrage maudit!
Quand t'éclaireras-tu? — Cette nuit est bien sombre.
Doña Sol, viens briller comme un astre dans l'ombre!
                                        A don Ricardo.
Quelle heure est-il?

DON RICARDO
                        Minuit bientôt.

DON CARLOS
                                        Il faut finir
Pourtant! A tout moment l'autre peut survenir.
La fenêtre de doña Sol s'éclaire. On voit son ombre se des-
siner sur les vitraux lumineux.
465 Mes amis! un flambeau! son ombre à la fenêtre!
Jamais jour ne me fut plus charmant à voir naître.
Hâtons-nous! faisons-lui le signal qu'elle attend.
Il faut frapper des mains trois fois. Dans un instant,
Mes amis, vous allez la voir! — Mais notre nombre
470 Va l'effrayer peut-être... Allez tous trois dans l'ombre,
Là-bas, épier l'autre. Amis, partageons-nous
Les deux amants. Tenez, à moi la dame, à vous
Le brigand.

DON RICARDO
        Grand merci!

DON CARLOS
S'il vient, de l'embuscade[1]
Sortez vite, et poussez au drôle une estocade[2],
475 Pendant qu'il reprendra ses esprits sur le grès[3],
J'emporterai la belle, et nous rirons après.
N'allez pas cependant le tuer! c'est un brave
Après tout, et la mort d'un homme est chose grave.
*Les trois seigneurs s'inclinent et sortent. Don Carlos les
laisse s'éloigner, puis frappe des mains à deux reprises. A
la deuxième fois la fenêtre s'ouvre, et doña Sol paraît sur
le balcon.*

SCÈNE II

DON CARLOS, DOÑA SOL

DOÑA SOL, *au balcon.*
Est-ce vous, Hernani?

DON CARLOS, *à part.*
Diable! ne parlons pas!
Il frappe de nouveau des mains.

DOÑA SOL
480 Je descends.
*Elle referme la fenêtre, dont la lumière disparaît. Un
moment après, la petite porte s'ouvre, et doña Sol en sort,
une lampe à la main, sa mante[4] sur les épaules.*

DOÑA SOL
Hernani!
*Don Carlos rabat son chapeau sur son visage, et s'avance
précipitamment vers elle.*

DOÑA SOL, *laissant tomber sa lampe.*
Dieu! ce n'est point son pas!
*Elle veut rentrer. Don Carlos court à elle et la retient par
le bras.*

1. De l'endroit où vous êtes embusqués, cachés.
2. Un coup donné de la pointe de l'épée (l'« estoc »).
3. Sur le pavé (en grès).
4. Cape sans manches.

DON CARLOS

Doña Sol!

DOÑA SOL

Ce n'est point sa voix! Ah! malheureuse!

DON CARLOS

Eh! quelle voix veux-tu qui soit plus amoureuse?
C'est toujours un amant, et c'est un amant roi!

DOÑA SOL

Le roi!

DON CARLOS

Souhaite, ordonne, un royaume est à toi!
485 Car celui dont tu veux briser la douce entrave,
C'est le roi ton seigneur, c'est Carlos ton esclave!

DOÑA SOL, *cherchant à se dégager de ses bras.*
Au secours, Hernani!

DON CARLOS

Le juste et digne effroi!
Ce n'est pas ton bandit qui te tient, c'est le roi!

DOÑA SOL

Non. Le bandit c'est vous! N'avez-vous pas de honte?
490 Ah! pour vous à la face une rougeur me monte.
Sont-ce là les exploits dont le roi fera bruit[1]?
Venir ravir de force une femme la nuit!
Que mon bandit vaut mieux cent fois! Roi, je proclame
Que, si l'homme naissait où le place son âme,
495 Si Dieu faisait le rang à la hauteur du cœur,
Certe, il serait le roi, prince, et vous le voleur!

DON CARLOS, *essayant de l'attirer.*
Madame...

DOÑA SOL

Oubliez-vous que mon père était comte?

---

1. Que le roi rendra publics.

DON CARLOS

Je vous ferai duchesse.

DOÑA SOL, *le repoussant.*

Allez! c'est une honte!

Elle recule de quelques pas.

Il ne peut être rien[1] entre nous, don Carlos.
500 Mon vieux père a pour vous versé son sang à flots,
Moi je suis fille noble, et de ce sang jalouse,
Trop pour la concubine[2], et trop peu pour l'épouse!

DON CARLOS

Princesse!

DOÑA SOL

Roi Carlos, à des filles de rien
Portez votre amourette, ou je pourrais fort bien,
505 Si vous m'osez traiter d'une façon infâme,
Vous montrer que je suis dame, et que je suis femme!

DON CARLOS

Eh bien, partagez donc et mon trône et mon nom.
Venez. Vous serez reine, impératrice!...

DOÑA SOL

Non.

C'est un leurre[3]. Et d'ailleurs, altesse, avec franchise,
510 S'agit-il pas de vous, s'il faut que je le dise.
J'aime mieux avec lui, mon Hernani, mon roi,
Vivre errante, en dehors du monde et de la loi,
Ayant faim, ayant soif, fuyant toute l'année,
Partageant jour à jour sa pauvre destinée,
515 Abandon, guerre, exil, deuil, misère et terreur,
Que d'être impératrice avec un empereur!

DON CARLOS

Que cet homme est heureux!

---

1. Il ne peut rien y avoir.
2. Maîtresse. En 1830, pour la représentation d'*Hernani*, on substitua à ce mot celui de « favorite » moins choquant pour le public.
3. C'est un appât trompeur.

DOÑA SOL

Quoi! pauvre, proscrit même!...

DON CARLOS

Qu'il fait bien d'être pauvre et proscrit, puisqu'on
                                                    [l'aime!
Moi, je suis seul! Un ange accompagne ses pas!
520 — Donc vous me haïssez?

DOÑA SOL

Je ne vous aime pas.

DON CARLOS, *la saisissant avec violence.*

Eh bien, que vous m'aimiez ou non, cela n'importe!
Vous viendrez, et ma main plus que la vôtre est forte.
Vous viendrez, je vous veux! Pardieu, nous verrons bien
Si je suis roi d'Espagne et des Indes[1] pour rien!

DOÑA SOL, *se débattant.*

525 Seigneur! oh! par pitié! — Quoi! vous êtes altesse,
Vous êtes roi. Duchesse, ou marquise, ou comtesse,
Vous n'avez qu'à choisir. Les femmes de la cour
Ont toujours un amour tout prêt pour votre amour.
Mais mon proscrit, qu'a-t-il reçu du ciel avare?
530 Ah! vous avez Castille, Aragon, et Navarre,
Et Murcie, et Leòn[2], dix royaumes encor,
Et les Flamands[3], et l'Inde avec les mines d'or!
Vous avez un empire auquel nul roi ne touche,
Si vaste, que jamais le soleil ne s'y couche[4]!
535 Et, quand vous avez tout, voudrez-vous, vous le roi,
Me prendre, pauvre fille, à lui qui n'a que moi?
                    Elle se jette à ses genoux. Il cherche à l'entraîner.

DON CARLOS

Viens! Je n'écoute rien. Viens! Si tu m'accompagnes,
Je te donne, choisis, quatre de mes Espagnes[5],
Dis, lesquelles veux-tu? Choisis!

   1. Don Carlos est roi des Indes occidentales, c'est-à-dire des territoires conquis par les Espagnols en Amérique.
   2. Provinces ou anciens royaumes d'Espagne (Navarre et Leòn
au Nord, Murcie au Sud-Est).
   3. Le roi d'Espagne règne alors sur les Flandres.
   4. L'empire espagnol s'étend sur plusieurs continents.
   5. Quatre de mes provinces.

Elle se débat dans ses bras.

DOÑA SOL

Pour mon honneur,
540 Je ne veux rien de vous que ce poignard, seigneur!
*Elle lui arrache le poignard de sa ceinture. Il la lâche et
recule.*
Avancez maintenant! faites un pas!

DON CARLOS

La belle!
Je ne m'étonne plus si l'on aime un rebelle.
Il veut faire un pas. Elle lève le poignard.

DOÑA SOL

Pour un pas, je vous tue, et me tue.
Il recule encore. Elle se détourne et crie avec force.
Hernani!
Hernani!

DON CARLOS

Taisez-vous!

DOÑA SOL, *le poignard levé.*

Un pas! tout est fini.

DON CARLOS

545 Madame! à cet excès ma douceur est réduite.
J'ai là pour vous forcer trois hommes de ma suite...

HERNANI, *surgissant tout à coup derrière lui.*
Vous en oubliez un!
*Le roi se retourne, et voit Hernani immobile derrière lui
dans l'ombre, les bras croisés sous le long manteau qui
l'enveloppe, et le large bord de son chapeau relevé. Doña
Sol pousse un cri, court à Hernani et l'entoure de ses bras.*

SCÈNE III

DON CARLOS, DOÑA SOL, HERNANI

*Hernani, immobile, les bras toujours croisés, et ses yeux
étincelants fixés sur le roi.*
Ah! le ciel m'est témoin
Que volontiers je l'eusse été chercher plus loin!

DOÑA SOL

Hernani, sauvez-moi de lui!

HERNANI

Soyez tranquille,
550 Mon amour!

DON CARLOS

Que font donc mes amis par la ville?
Avoir laissé passer ce chef de bohémiens[1]!

Appelant.

Monterey!

HERNANI

Vos amis sont au pouvoir des miens.
Et ne réclamez pas leur épée impuissante,
Pour trois qui vous viendraient, il m'en viendrait soixante.
555 Soixante dont un seul vous vaut tous quatre. Ainsi
Vidons entre nous deux notre querelle ici.
Quoi! vous portiez la main sur cette jeune fille!
C'était d'un imprudent, seigneur roi de Castille,
Et d'un lâche!

DON CARLOS, *souriant avec dédain.*

Seigneur bandit, de vous à moi
560 Pas de reproche!

HERNANI

Il raille! Oh! je ne suis pas roi;
Mais quand un roi m'insulte et pour surcroît me raille,
Ma colère va haut et me monte à sa taille,
Et, prenez garde, on craint, quand on me fait affront,
Plus qu'un cimier de roi la rougeur de mon front!
565 Vous êtes insensé si quelque espoir vous leurre.

Il lui saisit le bras.

Savez-vous quelle main vous étreint à cette heure?
Ecoutez: votre père a fait mourir le mien,
Je vous hais. Vous avez pris mon titre et mon bien,

---

1. Ici au sens de « vagabonds », de « bandits ».

Je vous hais. Nous aimons tous deux la même femme,
570 Je vous hais, je vous hais, — oui, je te hais dans l'âme!

DON CARLOS

C'est bien.

HERNANI

    Ce soir pourtant ma haine était bien loin.
Je n'avais qu'un désir, qu'une ardeur, qu'un besoin,
Doña Sol! — Plein d'amour, j'accourais... Sur mon âme!
Je vous trouve essayant sur elle un rapt infâme!
575 Quoi, vous que j'oubliais, sur ma route placé!
Seigneur, je vous le dis, vous êtes insensé!
Don Carlos, te voilà pris à ton propre piège.
Ni fuite, ni secours! je te tiens et t'assiège!
Seul, entouré partout d'ennemis acharnés,
580 Que vas-tu faire?

DON CARLOS, fièrement.
    Allons! vous me questionnez!

HERNANI

Va, va, je ne veux pas qu'un bras obscur te frappe.
Il ne sied pas qu'ainsi ma vengeance m'échappe.
Tu ne seras touché par un autre que moi.
Défends-toi donc.

Il tire son épée.

DON CARLOS
    Je suis votre seigneur le roi.
585 Frappez. Mais pas de duel.

HERNANI
    Seigneur, qu'il te souvienne
Qu'hier encor ta dague a rencontré la mienne[1].

DON CARLOS

Je le pouvais hier. J'ignorais votre nom,

---

1. Voir Acte I, scène 2.

Vous ignoriez mon titre[1]. Aujourd'hui, compagnon,
Vous savez qui je suis et je sais qui vous êtes.

HERNANI

590 Peut-être.

DON CARLOS
Pas de duel. Assassinez-moi : faites!

HERNANI

Crois-tu donc que les rois à moi me sont sacrés[2]?
Çà, te défendras-tu?

DON CARLOS
Vous m'assassinerez!
Hernani recule. Don Carlos fixe des yeux d'aigle sur lui.
Ah! vous croyez, bandits, que vos brigades viles
Pourront impunément s'épandre dans les villes?
595 Que teints de sang, chargés de meurtres, malheureux!
Vous pourrez après tout faire les généreux,
Et que nous daignerons, nous, victimes trompées,
Anoblir vos poignards du choc de nos épées!
Non, le crime vous tient. Partout vous le traînez.
600 Nous, des duels avec vous! arrière! assassinez.

HERNANI, *sombre et pensif, tourmente quelques instants*
de la main la poignée de son épée, puis se retourne
brusquement vers le roi, et brise la lame sur le pavé.

HERNANI

Va-t'en donc!
Le roi se tourne à demi vers lui et le regarde avec dédain.
Nous aurons des rencontres meilleures.
Va-t'en.

DON CARLOS
C'est bien, monsieur. Je vais dans quelques heures
Rentrer, moi votre roi, dans le palais ducal[3].

1. L'orgueil royal de Don Carlos lui interdit de se battre avec
celui qu'il croit un roturier.
2. En 1830, la censure fit modifier ce vers qui devint : « Crois-tu
donc que pour nous il soit des noms sacrés ».
3. Au sens étymologique, palais du chef (« dux »).

Mon premier soin sera de mander le fiscal[1].
605 A-t-on fait mettre à prix votre tête?

DON CARLOS

Oui.

DON CARLOS

Mon maître,

Je vous tiens[2] de ce jour sujet rebelle et traître.
Je vous en avertis, partout je vous poursuis.
Je vous fais mettre au ban du royaume.

HERNANI

J'y suis

Déjà.

DON CARLOS

Bien.

HERNANI

Mais la France est auprès de l'Espagne.
610 C'est un port[3].

DON CARLOS

Je vais être empereur d'Allemagne.
Je vous fais mettre au ban[4] de l'empire.

HERNANI

A ton gré.

J'ai le reste du monde où je te braverai.
Il est plus d'un asile où ta puissance tombe[5].

DON CARLOS

Et quand j'aurai le monde?

---

1. L'officier chargé des poursuites judiciaires.
2. Je vous considère.
3. C'est un refuge.
4. Condamner à l'exil.
5. Où ta puissance est sans effet.

HERNANI

Alors, j'aurai la tombe.

DON CARLOS

615 Je saurai déjouer vos complots insolents.

HERNANI

La vengeance est boiteuse, elle vient à pas lents,
Mais elle vient.

DON CARLOS, *riant à demi, avec dédain.*

Toucher à la dame qu'adore
Ce bandit!

HERNANI, *dont les yeux se rallument.*

Songes-tu que je tiens encore?
Ne me rappelle pas, futur césar romain[1],
620 Que je t'ai là, chétif et petit dans ma main,
Et que si je serrais cette main trop loyale
J'écraserais dans l'œuf ton aigle impériale!

DON CARLOS

Faites.

HERNANI

Va-t'en! Va-t'en!
Il ôte son manteau et le jette sur les épaules du roi.

Fuis, et prends ce manteau,
Car dans nos rangs pour toi je crains quelque couteau.
Le roi s'enveloppe du manteau.
625 Pars tranquille à présent! Ma vengeance altérée[2]
Pour tout autre que moi fait la tête sacrée.

DON CARLOS

Monsieur, vous qui venez de me parler ainsi,
Ne demandez un jour ni grâce ni merci!

Il sort.

1. S'il est élu, don Carlos régnera sur le Saint Empire romain germanique.
2. Ma soif de vengeance.

SCÈNE IV

HERNANI, DOÑA SOL

DOÑA SOL, *saisissant la main d'Hernani.*
Maintenant, fuyons vite.

HERNANI, *la repoussant avec une douceur grave.*
                              Il vous sied[1], mon amie,
630 D'être dans mon malheur toujours plus raffermie,
De n'y point renoncer, et de vouloir toujours
Jusqu'au fond, jusqu'au bout, accompagner mes jours.
C'est un noble dessein, digne d'un cœur fidèle!
Mais, tu le vois, mon Dieu, pour tant accepter d'elle,
635 Pour emporter joyeux dans mon antre avec moi
Ce trésor de beauté qui rend jaloux un roi,
Pour que ma doña Sol me suive et m'appartienne,
Pour lui prendre sa vie et la joindre à la mienne,
Pour l'entraîner sans honte encore et sans regrets,
640 Il n'est plus temps : je vois l'échafaud de trop près.

DOÑA SOL
Que dites-vous?

HERNANI
                              Ce roi que je bravais en face
Va me punir d'avoir osé lui faire grâce.
Il fuit; déjà peut-être il est dans son palais.
Il appelle ses gens, ses gardes, ses valets,
645 Ses seigneurs, ses bourreaux...

DOÑA SOL
                              Hernani! Dieu! Je tremble!
Eh bien, hâtons-nous donc alors! fuyons ensemble!

---

1. Il vous va bien.

HERNANI

Ensemble! non, non. L'heure en est passée! Hélas!
Doña Sol, à mes yeux quand tu te révélas,
Bonne, et daignant m'aimer d'un amour secourable,
650 J'ai bien pu vous offrir, moi, pauvre misérable,
Ma montagne, mon bois, mon torrent, — ta pitié
M'enhardissait, — mon pain de proscrit, la moitié
Du lit vert et touffu que la forêt me donne;
Mais t'offrir la moitié de l'échafaud! pardonne,
655 Doña Sol! l'échafaud, c'est à moi seul!

DOÑA SOL

                                    Pourtant
Vous me l'aviez promis!

HERNANI, *tombant à ses genoux.*

                    Ange! ah! dans cet instant
Où la mort vient peut-être, où s'approche dans l'ombre
Un sombre dénoûment pour un destin bien sombre,
Je le déclare ici, proscrit, traînant au flanc [1]
660 Un souci profond, né dans un berceau sanglant [2],
Si noir que soit le deuil qui s'épand sur ma vie,
Je suis un homme heureux, et je veux qu'on m'envie,
Car vous m'avez aimé! car vous me l'avez dit!
Car vous avez tout bas béni mon front maudit!

DOÑA SOL, *penchée sur sa tête.*
665 Hernani!

HERNANI

Loué soit le sort doux et propice
Qui me mit cette fleur au bord du précipice!
                                    Il se relève.
Et ce n'est pas pour vous que je parle en ce lieu,
Je parle pour le ciel qui m'écoute, et pour Dieu.

DOÑA SOL
Souffre que je te suive.

---

1. Dans mon cœur.
2. Allusion à la mort du père d'Hernani.

HERNANI

Ah! ce serait un crime
670 Que d'arracher la fleur en tombant dans l'abîme!
Va, j'en ai respiré le parfum! c'est assez!
Renoue à d'autres jours tes jours par moi froissés.
Epouse ce vieillard. C'est moi qui te délie.
Je rentre dans ma nuit. Toi, sois heureuse, oublie!

DOÑA SOL

675 Non, je te suis! je veux ma part de ton linceul!
Je m'attache à tes pas.

HERNANI, *la serrant dans ses bras.*
Oh! laisse-moi fuir seul.
Il la quitte avec un mouvement convulsif.

DOÑA SOL, *douloureusement et joignant les mains.*
Hernani! tu me fuis! Ainsi donc, insensée,
Avoir donné sa vie, et se voir repoussée,
Et n'avoir, après tant d'amour et tant d'ennui[1],
680 Pas même le bonheur de mourir près de lui!

HERNANI

Je suis banni! je suis proscrit! je suis funeste[2]!

DOÑA SOL

Ah! vous êtes ingrat!

HERNANI, *revenant sur ses pas.*
Eh bien, non! non, je reste.
Tu le veux, me voici. Viens, oh! viens dans mes bras!
Je reste, et resterai tant que tu le voudras.
685 Oublions-les! restons. —
Il l'assied sur un banc.
Sieds-toi[3] sur cette pierre.

---

1. Ici au sens fort de « chagrin ».
2. Qui porte avec soi le malheur, qui cause la mort.
3. Expression vieillie pour « Assieds-toi ».

Il se place à ses pieds.

Des flammes de tes yeux inonde ma paupière,
Chante-moi quelque chant comme parfois le soir
Tu m'en chantais, avec des pleurs dans ton œil noir!
Soyons heureux! buvons, car la coupe[1] est remplie,
690 Car cette heure est à nous, et le reste est folie.
Parle-moi, ravis-moi! N'est-ce pas qu'il est doux
D'aimer et de sentir qu'on vous aime à genoux?
D'être deux? d'être seuls? et que c'est douce chose
De se parler d'amour la nuit quand tout repose?
695 Oh! laisse-moi dormir et rêver sur ton sein,
Doña Sol! mon amour! ma beauté!

Bruit de cloches au loin.

DOÑA SOL, *se levant effarée.*

Le tocsin[2]!

Entends-tu? le tocsin!

HERNANI, *toujours assis à ses genoux.*

Eh non! c'est notre noce
Qu'on sonne.
Le bruit de cloches augmente. Cris confus, flambeaux et lumières à toutes les fenêtres, sur tous les toits, dans toutes les rues.

DOÑA SOL

Lève-toi! fuis! Grand Dieu! Saragosse
S'allume!

HERNANI, *se soulevant à demi.*

Nous aurons une noce aux flambeaux!

DOÑA SOL

700 C'est la noce des morts! la noce des tombeaux!

Bruit d'épées. Cris.

HERNANI, *se recouchant sur le banc de pierre.*

Viens dans mes bras!

1. La coupe qui célèbre l'amour.
2. Sonnerie de cloches annonçant un danger.

Un montagnard, l'épée à la main, accourant.
                    Seigneur, les sbires[1], les alcades[2],
Débouchent dans la place en longues cavalcades!
Alerte, monseigneur!

                                    Hernani se lève.

                    DOÑA SOL, *pâle.*
                    Ah! tu l'avais bien dit!

                    LE MONTAGNARD
Au secours!

                    HERNANI, *au montagnard.*
                    Me voici. C'est bien.
                                    Cris confus, au-dehors.
                                    Mort au bandit!

                    HERNANI, *au montagnard.*
705 Ton épée!

                                    A doña Sol.

                    Adieu donc!

                    DOÑA SOL
                    C'est moi qui fais ta perte!
Où vas-tu?

                                    Lui montrant la petite porte.
                    Viens! Fuyons par cette porte ouverte.

                    HERNANI
Dieu! laisser mes amis! que dis-tu?

                                    Tumulte et cris.

                    DOÑA SOL
                                    Ces clameurs
Me brisent.

                                    Retenant Hernani.
                    Souviens-toi que si tu meurs, je meurs!

---

1. Agents de la police.
2. Juges de paix en Espagne. Ici chefs des troupes de la police.

HERNANI, *la tenant embrassée.*

Un baiser!

DOÑA SOL

Mon époux! mon Hernani! mon maître!

HERNANI, *la baisant au front.*

710 Hélas! c'est le premier.

DOÑA SOL

C'est le dernier peut-être.

Il part. Elle tombe sur le banc.

ACTE TROISIÈME

LE VIEILLARD

LE CHATEAU DE SILVA
DANS LES MONTAGNES D'ARAGON.

La galerie des portraits de la famille de Silva ; grande salle, dont ces portraits, entourés de riches bordures et surmontés de couronnes ducales et d'écussons dorés[1], font la décoration. Au fond, une haute porte gothique. Entre chaque portrait une panoplie[2] complète, toutes ces armures de siècles différents.

SCÈNE PREMIÈRE

DOÑA SOL, *blanche, et debout près d'une table.*
DON RUY GOMEZ DE SILVA, *assis dans son grand fauteuil ducal en bois de chêne.*

DON RUY GOMEZ

Enfin ! c'est aujourd'hui ! dans une heure on sera[3]
Ma duchesse ! plus d'oncle ! et l'on m'embrassera !
Mais m'as-tu pardonné ? J'avais tort, je l'avoue.

---

1. Blasons portant les armes d'une famille noble.
2. Ensemble d'armes de guerre présentées en trophée.
3. Vous serez.

J'ai fait rougir ton front, j'ai fait pâlir ta joue.
715 J'ai soupçonné trop vite, et je n'aurais point dû
Te condamner ainsi sans avoir entendu.
Que l'apparence a tort! Injustes que nous sommes!
Certe[1], ils étaient bien là, les deux beaux jeunes hommes!
C'est égal[2]. Je devais n'en pas croire mes yeux.
720 Mais que veux-tu, ma pauvre enfant? quand on est vieux!

DOÑA SOL, *immobile et grave.*
Vous reparlez toujours de cela. Qui vous blâme?

DON RUY GOMEZ
Moi! J'eus tort. Je devais savoir qu'avec ton âme
On n'a point de galants lorsqu'on est doña Sol,
Et qu'on a dans le cœur de bon sang espagnol.

DOÑA SOL
725 Certe, il est bon, et pur, monseigneur, et peut-être
On le verra bientôt.

DON RUY GOMEZ, *se levant et allant à elle.*
                    Ecoute, on n'est pas maître
De soi-même, amoureux comme je suis de toi,
Et vieux. On est jaloux, on est méchant, pourquoi?
Parce que l'on est vieux. Parce que beauté, grâce,
730 Jeunesse, dans autrui, tout fait peur, tout menace.
Parce qu'on est jaloux des autres, et honteux
De soi. Dérision! que cet amour boiteux[3],
Qui nous remet au cœur tant d'ivresse et de flamme,
Ait oublié le corps en rajeunissant l'âme!
735 — Quand passe un jeune pâtre — oui, c'en est là! —
                                              [souvent,
Tandis que nous allons, lui chantant, moi rêvant,
Lui dans son pré vert, moi dans mes noires allées,
Souvent je dis tout bas : — Ô mes tours crénelées,
Mon vieux donjon ducal, que je vous donnerais,

---

1. Pour « certes » par licence poétique.
2. Cela ne fait rien.
3. Par le déséquilibre entre l'âme et le corps.

740 Oh! que je donnerais mes blés et mes forêts,
Et les vastes troupeaux qui tondent mes collines,
Mon vieux nom, mon vieux titre, et toutes mes ruines,
Et tous mes vieux aïeux qui bientôt m'attendront,
Pour sa chaumière neuve et pour son jeune front!
745 Car ses cheveux sont noirs, car son œil reluit comme
Le tien, tu peux le voir, et dire : Ce jeune homme!
Et puis, penser à moi qui suis vieux. Je le sais!
Pourtant j'ai nom Silva, mais ce n'est plus assez!
Oui, je me dis cela. Vois à quel point je t'aime!
750 Le tout, pour être jeune et beau, comme toi-même!
Mais à quoi vais-je ici rêver? Moi, jeune et beau!
Qui te dois de si loin devancer au tombeau!

DOÑA SOL

Qui sait?

DON RUY GOMEZ

Mais va, crois-moi, ces cavaliers frivoles[1]
N'ont pas d'amour si grand qu'il ne s'use en paroles.
755 Qu'une fille aime et croie un de ces jouvenceaux[2],
Elle en meurt, il en rit. Tous ces jeunes oiseaux,
A l'aile vive et peinte[3], au langoureux ramage[4],
Ont un amour qui mue ainsi que leur plumage.
Les vieux, dont l'âge éteint la voix et les couleurs,
760 Ont l'aile plus fidèle, et, moins beaux, sont meilleurs.
Nous aimons bien. Nos pas sont lourds? nos yeux arides[5]?
Nos fronts ridés? Au cœur on n'a jamais de rides.
Hélas! quand un vieillard aime, il faut l'épargner.
Le cœur est toujours jeune, et peut toujours saigner.
765 Oh! mon amour n'est point comme un jouet de verre
Qui brille et tremble; oh! non, c'est un amour sévère,
Profond, solide, sûr, paternel, amical,
De boix de chêne, ainsi que mon fauteuil ducal!
Voilà comme je t'aime, et puis je t'aime encore

---

1. Qui n'ont rien de sérieux.
2. Jeunes hommes (le mot est vieilli).
3. Allusion aux habits riches en couleurs des jeunes nobles.
4. Au sens propre, chant de l'oiseau. Ici, discours galant.
5. Secs, sans larmes.

770 De cent autres façons, comme on aime l'aurore,
Comme on aime les fleurs, comme on aime les cieux !
De te voir tous les jours, toi, ton pas gracieux,
Ton front pur, le beau feu de ta fière prunelle,
Je ris, et j'ai dans l'âme une fête éternelle !

DOÑA SOL

775 Hélas !

DON RUY GOMEZ

Et puis, vois-tu ? le monde trouve beau,
Lorsqu'un homme s'éteint, et lambeau par lambeau,
S'en va, lorsqu'il trébuche au marbre de la tombe,
Qu'une femme, ange pur, innocente colombe,
Veille sur lui, l'abrite, et daigne encor souffrir
780 L'inutile vieillard qui n'est bon qu'à mourir.
C'est une œuvre sacrée, et qu'à bon droit on loue,
Que ce suprême effort d'un cœur qui se dévoue,
Qui console un mourant jusqu'à la fin du jour[1],
Et, sans aimer peut-être, a des semblants d'amour !
785 Oh ! tu seras pour moi cet ange au cœur de femme
Qui du pauvre vieillard réjouit encor l'âme,
Et de ses derniers ans lui porte la moitié,
Fille par le respect et sœur par la pitié.

DOÑA SOL

Loin de me précéder, vous pourrez bien me suivre,
790 Monseigneur ; ce n'est pas une raison pour vivre
Que d'être jeune. Hélas ! je vous le dis, souvent
Les vieillards sont tardifs[2], les jeunes vont devant,
Et leurs yeux brusquement referment leur paupière,
Comme un sépulcre ouvert dont retombe la pierre.

DON RUY GOMEZ

795 Oh ! les sombres discours ! Mais je vous gronderai,
Enfant ! un pareil jour est joyeux et sacré.
Comment, à ce propos, quand l'heure nous appelle,

1. Jusqu'à la fin de sa vie.
2. Lents.

N'êtes-vous pas encor prête pour la chapelle?
Mais, vite! habillez-vous. Je compte les instants.
800 La parure de noce!

DOÑA SOL
Il sera toujours temps.

DON RUY GOMEZ
Non pas.

Entre un page.

Que veut Iaquez?

LE PAGE
Monseigneur, à la porte
Un homme, un pèlerin, un mendiant, n'importe,
Est là qui vous demande asile.

DON RUY GOMEZ
Quel qu'il soit,
Le bonheur entre avec l'étranger qu'on reçoit,
805 Qu'il vienne. — Du dehors a-t-on quelques nouvelles?
Que dit-on de ce chef de bandits infidèles[1]
Qui remplit nos forêts de sa rébellion?

LE PAGE
C'en est fait d'Hernani, c'en est fait du lion[2]
De la montagne.

DOÑA SOL, *à part.*
Dieu!

DON RUY GOMEZ
Quoi?

LE PAGE
La bande est détruite.
810 Le roi, dit-on, s'est mis lui-même à leur poursuite.
La tête d'Hernani vaut mille écus du roi
Pour l'instant; mais on dit qu'il est mort.

1. Insoumis, rebelles.
2. A prononcer en deux syllabes : li-on (diérèse).

DOÑA SOL, *à part.*

Quoi! sans moi,

Hernani!

DON RUY GOMEZ

Grâce au ciel! il est mort, le rebelle!
On peut se réjouir maintenant, chère belle.
815 Allez donc vous parer, mon amour, mon orgueil!
Aujourd'hui, double fête!

DOÑA SOL, *à part.*
Oh! des habits de deuil!

Elle sort.

DON RUY GOMEZ, *au page.*

Fais-lui vite porter l'écrin que je lui donne.

Il se rassied dans son fauteuil.

Je veux la voir parée ainsi qu'une madone [1],
Et, grâce à ses doux yeux, et grâce à mon écrin,
820 Belle à faire à genoux tomber un pèlerin.
A propos, et celui qui nous demande un gîte?
Dis-lui d'entrer, fais-lui nos excuses, cours vite.

Le page salue et sort.

Laisser son hôte attendre! ah! c'est mal!

La porte du fond s'ouvre. Paraît Hernani déguisé en pèlerin. Le duc se lève et va à sa rencontre.

SCÈNE II

DON RUY GOMEZ, HERNANI

Hernani s'arrête sur le seuil de la porte.

HERNANI

Monseigneur,

Paix et bonheur à vous!

---

1. Une madone est une représentation de la Vierge Marie (de
l'italien « madonna » : madame).

DON RUY GOMEZ, *le saluant de la main.*
                              A toi paix et bonheur,
825 Mon hôte !

                              Hernani entre. Le duc se rassied.
        N'es-tu pas pèlerin ?

                    HERNANI, *s'inclinant.*
                              Oui.

                    DON RUY GOMEZ
                                        Sans doute
Tu viens d'Armillas[1] ?

                              HERNANI
                              Non. J'ai pris une autre route ;
On se battait par là.

                              DON RUY GOMEZ
                    La troupe du banni,
N'est-ce pas ?

                              HERNANI
        Je ne sais.

                              DON RUY GOMEZ
                    Le chef, le Hernani,
Que devient-il ? sais-tu ?

                              HERNANI
                    Seigneur, quel est cet homme ?

                              DON RUY GOMEZ
830 Tu ne le connais pas ? tant pis ! la grosse somme
Ne sera point pour toi. Vois-tu, ce Hernani,
C'est un rebelle au roi, trop longtemps impuni.
Si tu vas à Madrid, tu le pourras voir pendre.

                              HERNANI
Je n'y vais pas.

---

1. Village voisin de Saragosse.

DON RUY GOMEZ
Sa tête est à qui veut la prendre.

HERNANI, *à part.*
835 Qu'on y vienne!

DON RUY GOMEZ
Où vas-tu, bon pèlerin?

HERNANI
Seigneur,
Je vais à Saragosse.

DON RUY GOMEZ
Un vœu fait en l'honneur
D'un saint? de Notre-Dame?

HERNANI
Oui, duc, de Notre-Dame.

DON RUY GOMEZ
Del Pilar[1]?

HERNANI
Del Pilar.

DON RUY GOMEZ
Il faut n'avoir point d'âme
Pour ne point acquitter les vœux qu'on fait aux saints.
840 Mais, le tien accompli, n'as-tu d'autres desseins?
Voir le Pilier, c'est là tout ce que tu désires?

HERNANI
Oui, je veux voir brûler les flambeaux et les cires[2],
Voir Notre-Dame, au fond du sombre corridor[3],

1. Cette statue de la Vierge, placée contre un pilier (« pilar » en
espagnol) de la cathédrale de Saragosse, faisait l'objet d'une vénéra-
tion particulière.
2. Des cierges.
3. La sombre nef de l'église.

Luire en sa châsse ardente[1] avec sa chape[2] d'or;
845 Et puis m'en retourner.

DON RUY GOMEZ

Fort bien. — Ton nom, mon frère?
Je suis Ruy de Silva.

HERNANI, hésitant.

Mon nom?...

DON RUY GOMEZ

Tu peux le taire
Si tu veux. Nul n'a droit de le savoir ici[3].
Viens-tu pas demander asile?

HERNANI

Oui, duc.

DON RUY GOMEZ

Merci.
Sois le bienvenu. Reste, ami, ne te fais faute
850 De rien[4]. Quant à ton nom, tu te nommes mon hôte.
Qui que tu sois, c'est bien! et, sans être inquiet,
J'accueillerais Satan, si Dieu me l'envoyait.
La porte du fond s'ouvre à deux battants. Entre doña Sol,
en parure de mariée castillane du temps. Derrière elle,
pages, valets, et deux femmes portant sur un coussin de
velours un coffret d'acier ciselé, qu'elles vont déposer sur
une table, et qui renferme un riche écrin, couronne de
duchesse, bracelets, colliers, perles et brillants pêle-mêle.
— Hernani, haletant et effaré, considère doña Sol avec
des yeux ardents, sans écouter le duc.

1. Ici cadre doré dans lequel est disposée la statue de la Vierge.
2. Manteau brodé dont on revêt la statue notamment lors des
cérémonies religieuses.
3. Le code de l'hospitalité enjoint de respecter l'anonymat de
l'hôte.
4. Ne te prive de rien (l'expression est vieillie).

SCÈNE III

LES MÊMES, DOÑA SOL, *pages, valets, femmes.*

DON RUY GOMEZ, *continuant.*
Voici ma Notre-Dame à moi[1]. L'avoir priée
Te portera bonheur.
Il va présenter la main à doña Sol, toujours pâle et grave.
                              Ma belle mariée,
855 Venez. — Quoi! pas d'anneau! pas de couronne encor!

HERNANI, *d'une voix tonnante.*
Qui veut gagner ici mille carolus d'or[2]?
*Tous se retournent étonnés. Il déchire sa robe de pèlerin, la
foule aux pieds, et en sort dans son costume de mon-
tagnard.*
Je suis Hernani!

DOÑA SOL, *à part, avec joie.*
              Ciel! vivant!

HERNANI, *aux valets.*
                              Je suis cet homme
Qu'on cherche.
                                        Au duc.
              Vous vouliez savoir si je me nomme
Perez ou Diego? — Non, je me nomme Hernani.
860 C'est un bien plus beau nom, c'est un nom de banni,
C'est un nom de proscrit! Vous voyez cette tête?
Elle vaut assez d'or pour payer votre fête!
                                        Aux valets.
Je vous la donne à tous. Vous serez bien payés!
Prenez! liez mes mains, liez mes pieds, liez!
865 Mais non, c'est inutile, une chaîne me lie
Que je ne romprai point!

---

1. Doña Sol est une fois de plus comparée à la Vierge. Voir le
vers 818.
2. Cette monnaie française créée par le roi Charles VIII au
xve siècle n'avait pas cours en Espagne. Hugo en fait la monnaie du
roi don Carlos.

DOÑA SOL, *à part.*
Malheureuse!

DON RUY GOMEZ
Folie!
Ça, mon hôte est un fou!

HERNANI
Votre hôte est un bandit.

DOÑA SOL
Oh! ne l'écoutez pas!

HERNANI
J'ai dit ce que j'ai dit.

DON RUY GOMEZ
Mille carolus d'or! monsieur, la somme est forte,
870 Et je ne suis pas sûr de tous mes gens.

HERNANI
Qu'importe!
Tant mieux si dans le nombre il s'en trouve un qui
[veut.
Aux valets.

Livrez-moi! vendez-moi!

DON RUY GOMEZ, *s'efforçant de le faire taire.*
Taisez-vous donc! on peut
Vous prendre au mot.

HERNANI
Amis, l'occasion est belle!
Je vous dis que je suis Hernani, le rebelle,
875 Hernani!

DON RUY GOMEZ
Taisez-vous!

HERNANI
Hernani!

DOÑA SOL, *d'une voix éteinte, à son oreille.*
Ho! tais-toi!

HERNANI, *se détournant à demi vers doña Sol.*
On se marie ici! Je veux en être, moi!
Mon épousée aussi m'attend.

Au duc.
Elle est moins belle
Que la vôtre, seigneur, mais n'est pas moins fidèle.
C'est la mort!

Aux valets.
Nul de vous ne fait un pas encor?

DOÑA SOL, *bas.*
880 Par pitié!

HERNANI, *aux valets.*
Hernani! mille carolus d'or!

DON RUY GOMEZ
C'est le démon!

HERNANI, *à un jeune valet.*
Viens, toi! tu gagneras la somme.
Riche alors, de valet tu redeviendras homme[1].
Aux valets qui restent immobiles.
Vous aussi, vous tremblez! Ai-je assez de malheur!

DON RUY GOMEZ
Frère, à toucher ta tête, ils risqueraient la leur.
885 Fusses-tu Hernani, fusses-tu cent fois pire,
Pour ta vie au lieu d'or offrît-on un empire,
Mon hôte! je te dois protéger en ce lieu,
Même contre le roi, car je te tiens de Dieu[2]!
S'il tombe un seul cheveu de ton front, que je meure!

---

1. C'est-à-dire homme libre.
2. Don Ruy rappelle le caractère sacré de son hôte.

A doña Sol.

890 Ma nièce, vous serez ma femme dans une heure ;
Rentrez chez vous. Je vais faire armer le château,
J'en vais fermer la porte.

Il sort. Les valets le suivent.

HERNANI, *regardant avec désespoir sa ceinture dégarnie
et désarmée.*

Oh ! pas même un couteau !

DOÑA SOL, *après que le duc a disparu, fait quelques pas
comme pour suivre ses femmes, puis s'arrête, et, dès
qu'elles sont sorties, revient vers Hernani avec anxiété.*

SCÈNE IV

HERNANI, DOÑA SOL

*Hernani considère avec un regard froid et comme inatten-
tif l'écrin nuptial placé sur la table ; puis il hoche la tête, et
ses yeux s'allument.*

HERNANI

Je vous fais compliment ! — Plus que je ne puis dire
La parure me charme, et m'enchante, et — j'admire !

Il s'approche de l'écrin.

895 La bague est de bon goût, — la couronne me plaît, —
Le collier est d'un beau travail, — le bracelet
Est rare, — mais cent fois, cent fois moins que la
[femme
Qui sous un front si pur cache ce cœur infâme !

Examinant à nouveau le coffret.

Et qu'avez-vous donné pour tout cela ? — Fort bien !
900 Un peu de votre amour ? mais, vraiment, c'est pour rien !
Grand Dieu ! trahir ainsi ! n'avoir pas honte, et vivre !

Examinant l'écrin.

Mais peut-être après tout c'est perle fausse, et cuivre
Au lieu d'or, verre et plomb, diamants déloyaux,
Faux saphirs, faux bijoux, faux brillants, faux joyaux !
905 Ah ! s'il en est ainsi, comme cette parure,
Ton cœur est faux, duchesse, et tu n'es que dorure !

Il revient au coffret.
— Mais non, non. Tout est vrai, tout est bon, tout est beau !
Il n'oserait tromper, lui qui touche au tombeau !
Rien n'y manque.
Il prend l'une après l'autre toutes les pièces de l'écrin.
                    Colliers, brillants, pendants d'oreille,
910 Couronne de duchesse, anneau d'or... — A merveille !
Grand merci de l'amour sûr, fidèle et profond !
Le précieux écrin !

                         DOÑA SOL
Elle va au coffret, y fouille, et en tire un poignard.
                    Vous n'allez pas au fond !
Hernani pousse un cri et tombe prosterné à ses pieds.
— C'est le poignard qu'avec l'aide de ma patronne[1]
Je pris au roi Carlos, lorsqu'il m'offrit un trône[2],
915 Et que je refusai, pour vous qui m'outragez !

                   HERNANI, *toujours à genoux.*
Oh ! laisse qu'à genoux dans tes yeux affligés
J'efface tous ces pleurs amers et pleins de charmes,
Et tu prendras après tout mon sang pour tes larmes[3] !

                   DOÑA SOL, *attendrie.*
Hernani ! je vous aime et vous pardonne, et n'ai
920 Que de l'amour pour vous.

                         HERNANI
                              Elle m'a pardonné
Et m'aime ! Qui pourra faire aussi que moi-même,
Après ce que j'ai dit, je me pardonne et m'aime ?
Oh ! je voudrais savoir, ange au ciel réservé[4],
Où vous avez marché, pour baiser le pavé !

                         DOÑA SOL
925 Ami !

---

1. La Sainte Vierge.
2. Voir la scène 2 de l'Acte II.
3. En échange de tes larmes.
4. Réservé au ciel (inversion).

HERNANI

Non, je dois m'être odieux ! — Mais, écoute,
Dis-moi : Je t'aime ! Hélas ! rassure un cœur qui doute,
Dis-le-moi ! car souvent avec ce peu de mots
La bouche d'une femme a guéri bien des maux !

DOÑA SOL, *absorbée et sans l'entendre.*

Croire que mon amour eût si peu de mémoire !
930 Que jamais ils pourraient, tous ces hommes sans gloire,
Jusqu'à d'autres amours, plus nobles à leur gré,
Rapetisser un cœur où son nom est entré !

HERNANI

Hélas ! j'ai blasphémé[1] ! Si j'étais à ta place,
Doña Sol, j'en aurais assez, je serais lasse
935 De ce fou furieux, de ce sombre insensé
Qui ne sait caresser qu'après qu'il a blessé.
Je lui dirais : Va-t'en ! — Repousse-moi, repousse !
Et je te bénirai, car tu fus bonne et douce,
Car tu m'as supporté trop longtemps, car je suis
940 Mauvais, je noircirais tes jours avec mes nuits !
Car c'en est trop enfin, ton âme est belle et haute
Et pure, et si je suis méchant, est-ce ta faute ?
Epouse le vieux duc ! il est bon, noble, il a
Par sa mère Olmedo[2], par son père Alcala[3].
945 Encore un coup, sois riche avec lui, sois heureuse !
Moi, sais-tu ce que peut cette main généreuse
T'offrir de magnifique ? une dot de douleurs.
Tu pourras y choisir ou du sang ou des pleurs.
L'exil, les fers, la mort, l'effroi qui m'environne,
950 C'est là ton collier d'or, c'est ta belle couronne,
Et jamais à l'épouse un époux plein d'orgueil
N'offrit plus riche écrin de misère et de deuil !
Epouse le vieillard, te dis-je ; il te mérite !
Eh ! qui jamais croira que ma tête proscrite
955 Aille avec ton front pur ? qui, nous voyant tous deux,

---

1. En mettant en doute la fidélité de doña Sol, Hernani a le sentiment d'avoir commis un sacrilège.
2. Ville de Nouvelle-Castille.
3. Ville d'Andalousie.

Toi, calme et belle, moi, violent, hasardeux[1],
Toi, paisible et croissant comme une fleur à l'ombre,
Moi, heurté dans l'orage à des écueils sans nombre,
Qui dira que nos sorts suivent la même loi ?
960 Non, Dieu qui fait tout bien ne te fit pas pour moi.
Je n'ai nul droit d'en haut sur toi, je me résigne.
J'ai ton cœur, c'est un vol ! je le rends au plus digne.
Jamais à nos amours le ciel n'a consenti.
Si j'ai dit que c'était ton destin, j'ai menti !
965 D'ailleurs, vengeance, amour, adieu ! mon jour s'achève,
Je m'en vais, inutile, avec mon double rêve,
Honteux de n'avoir pu ni punir ni charmer,
Qu'on m'ait fait pour haïr, moi qui n'ai su qu'aimer !
Pardonne-moi ! fuis-moi ! ce sont mes deux prières ;
970 Ne les rejette pas, car ce sont les dernières.
Tu vis et je suis mort. Je ne vois pas pourquoi
Tu te ferais murer dans ma tombe avec moi.

DOÑA SOL

Ingrat !

HERNANI

Monts d'Aragon ! Galice ! Estramadoure[2] !
— Oh ! je porte malheur à tout ce qui m'entoure ! —
975 J'ai pris vos meilleurs fils, pour mes droits[3], sans remords
Je les ai fait combattre, et voilà qu'ils sont morts !
C'étaient les plus vaillants de la vaillante Espagne.
Ils sont morts ! ils sont tous tombés dans la montagne,
Tous sur le dos couchés, en braves, devant Dieu,
980 Et, si leurs yeux s'ouvraient, ils verraient le ciel bleu !
Voilà ce que je fais de tout ce qui m'épouse !
Est-ce une destinée à te rendre jalouse ?
Doña Sol, prends le duc, prends l'enfer, prends le roi !
C'est bien. Tout ce qui n'est pas moi vaut mieux que moi !

---

1. Qui mène une vie d'aventures pleine de risques.
2. Région du sud-ouest de l'Espagne.
3. Pour m'aider à retrouver mes droits.

985 Je n'ai plus un ami qui de moi se souvienne,
Tout me quitte, il est temps qu'à la fin ton tour vienne,
Car je dois être seul. Fuis ma contagion.
Ne te fais pas d'aimer une religion[1] !
Oh! par pitié pour toi, fuis! — Tu me crois peut-être
990 Un homme comme sont tous les autres, un être
Intelligent, qui court droit au but qu'il rêva.
Détrompe-toi. Je suis une force qui va!
Agent aveugle et sourd de mystères funèbres!
Une âme de malheur faite avec des ténèbres!
995 Où vais-je? je ne sais. Mais je me sens poussé
D'un souffle impétueux, d'un destin insensé.
Je descends, je descends, et jamais ne m'arrête.
Si parfois, haletant, j'ose tourner la tête,
Une voix me dit: Marche! et l'abîme est profond,
1000 Et de flamme ou de sang je le vois rouge au fond!
Cependant, à l'entour[2] de ma course farouche,
Tout se brise, tout meurt. Malheur à qui me touche!
Oh! fuis! détourne-toi de mon chemin fatal,
Hélas! sans le vouloir, je te ferais du mal!

DOÑA SOL

1005 Grand Dieu!

HERNANI

C'est un démon[3] redoutable, te dis-je,
Que le mien. Mon bonheur, voilà le seul prodige
Qui lui soit impossible. Et toi, c'est le bonheur!
Tu n'es donc pas pour moi, cherche un autre seigneur.
Va, si jamais le ciel à mon sort qu'il renie[4]
1010 Souriait... n'y crois pas! ce serait ironie!
Epouse le duc!

DOÑA SOL

Donc ce n'était pas assez!

1. Ne fais pas de ton amour un devoir religieux. Re-li-gi-on :
4 syllabes.
2. Autour.
3. Hernani a le sentiment d'être guidé par un mauvais génie (du
grec « daîmon », génie protecteur, bon ou mauvais).
4. Qu'il désavoue, qu'il rejette.

Vous aviez déchiré mon cœur, vous le brisez !
Ah ! vous ne m'aimez plus !

HERNANI

Oh ! mon cœur et mon âme,
C'est toi ! l'ardent foyer d'où me vient toute flamme,
015 C'est toi ! Ne m'en veux pas de fuir, être adoré !

DOÑA SOL

Je ne vous en veux pas. Seulement, j'en mourrai.

HERNANI

Mourir ! pour qui ? pour moi ? Se peut-il que tu meures
Pour si peu ?

DOÑA SOL, *laissant éclater ses larmes.*

Voilà tout.

Elle tombe sur un fauteuil.

HERNANI, *s'asseyant près d'elle.*

Oh ! tu pleures ! tu pleures !
Et c'est encor ma faute ! et qui me punira ?
020 Car tu pardonneras encor ! Qui te dira
Ce que je souffre au moins, lorsqu'une larme noie
La flamme de tes yeux dont l'éclair est ma joie !
Oh ! mes amis sont morts ! Oh ! je suis insensé !
Pardonne. Je voudrais aimer, je ne le sai !
025 Hélas ! j'aime pourtant d'une amour[1] bien profonde ! —
Ne pleure pas, mourons plutôt ! — Que n'ai-je un monde ?
Je te le donnerais ! Je suis bien malheureux !

DOÑA SOL, *se jetant à son cou.*

Vous êtes mon lion[2] superbe et généreux !
Je vous aime.

HERNANI

Oh ! l'amour serait un bien suprême
030 Si l'on pouvait mourir de trop aimer !

---

1. « Amour » admis au féminin singulier en poésie.
2. Prononcer « li-on » (diérèse). En 1830, Mlle Mars, l'actrice qui jouait doña Sol, refusa de prononcer ce vers qu'elle jugeait scandaleux. Contre l'avis de V. Hugo, elle le remplaça par « Vous êtes mon seigneur vaillant et généreux ».

DOÑA SOL
                                        Je t'aime!
Monseigneur! je vous aime et je suis toute à vous.

HERNANI, *laissant tomber sa tête sur son épaule.*
Oh! qu'un coup de poignard de toi me serait doux!

DOÑA SOL, *suppliante.*
Quoi! ne craignez-vous pas que Dieu ne vous punisse
De parler de la sorte?

HERNANI, *toujours appuyé sur son sein.*
                                Eh bien! qu'il nous unisse!
1035 Tu le veux. Qu'il en soit ainsi! — J'ai résisté!
Tous deux, dans les bras l'un de l'autre, se regardent avec
extase, sans voir, sans entendre, et comme absorbés dans
leur regard. — Entre don Ruy Gomez par la porte du
fond. Il regarde et s'arrête comme pétrifié sur le seuil.

SCÈNE V

HERNANI, DOÑA SOL, DON RUY GOMEZ

DON RUY GOMEZ, *immobile et croisant les bras au seuil*
de la porte.
Voilà donc le paiement de l'hospitalité!

DOÑA SOL
Dieu! le duc!
Tous deux se détournent comme réveillés en sursaut.

DON RUY GOMEZ, *toujours immobile.*
                        C'est donc là mon salaire, mon hôte!
— Bon seigneur, va-t'en voir si la muraille est haute,
Si la porte est bien close et l'archer dans sa tour,
1040 De ton château pour nous fais et refais le tour,
Cherche en ton arsenal une armure à ta taille,

Ressaye[1] à soixante ans ton harnois[2] de bataille !
Voici la loyauté dont nous paierons ta foi !
Tu fais cela pour nous, et nous ceci pour toi !
1045 Saints du ciel ! — J'ai vécu plus de soixante années,
J'ai vu bien des bandits aux âmes effrénées[3],
J'ai souvent, en tirant ma dague du fourreau,
Fait lever sur mes pas des gibiers de bourreau[4],
J'ai vu des assassins, des monnoyeurs[5], des traîtres,
1050 De faux valets[6] à table empoisonnant leurs maîtres,
J'en ai vu qui mouraient sans croix et sans pater[7],
J'ai vu Sforce[8], j'ai vu Borgia[9], je vois Luther[10],
Mais je n'ai jamais vu perversité si haute
Qui n'eût craint le tonnerre en trahissant son hôte !
1055 Ce n'est pas de mon temps. — Si noire trahison
Pétrifie un vieillard au seuil de sa maison,
Et fait que le vieux maître, en attendant qu'il tombe,
A l'air d'une statue, à mettre sur sa tombe !
Maures et Castillans[11] ! quel est cet homme-ci ?
Il lève les yeux et les promène sur les portraits qui
entourent la salle.
1060 Ô vous, tous les Silva qui m'écoutez ici,
Pardon si devant vous, pardon si ma colère
Dit l'hospitalité mauvaise conseillère !

---

1. Réessaie.
2. Equipement complet d'un homme d'armes.
3. Sans retenue, excessives.
4. Des bandits condamnés à mort.
5. Des faux-monnayeurs.
6. Des valets fourbes.
7. Sans « pater noster », c'est-à-dire sans prières parce qu'ils vivaient sans Dieu.
8. Orthographe francisée pour Ludovic Sforza (1451-1508) qui s'était emparé du duché de Milan par traîtrise.
9. César Borgia (1475-1507), fils du pape Alexandre VI, célèbre pour son habileté politique mais surtout pour les raffinements de sa cruauté.
10. Le protestant Luther symbolise pour le catholique Don Ruy Gomez l'alliance de la rébellion et de l'hérésie.
11. Don Ruy Gomez en appelle aux deux religions qui se partageaient l'Espagne au xve siècle : celle des musulmans (les « Maures ») et celle des chrétiens (les « Castillans »).

HERNANI, *se levant.*

Duc...

DON RUY GOMEZ

Tais-toi! —
Il fait lentement trois pas dans la salle et promène de nou-
veau ses regards sur les portraits des Silva.
Morts sacrés! aïeux! hommes de fer!
Qui voyez ce qui vient du ciel et de l'enfer,
1065 Dites-moi, messeigneurs, dites, quel est cet homme?
Ce n'est pas Hernani, c'est Judas[1] qu'on le nomme!
Oh! tâchez de parler pour me dire son nom!
                              Croisant les bras.
Avez-vous de vos jours vu rien de pareil? Non!

HERNANI

Seigneur duc...

DON RUY GOMEZ, *toujours aux portraits.*

                    Voyez-vous? il veut parler, l'infâme!
1070 Mais, mieux encor que moi, vous lisez dans son âme.
Oh! ne l'écoutez pas! C'est un fourbe! Il prévoit
Que mon bras va sans doute ensanglanter mon toit[2],
Que peut-être mon cœur couve dans ses tempêtes
Quelque vengeance, sœur du festin des sept têtes[3],
1075 Il vous dira qu'il est proscrit, il vous dira
Qu'on va dire Silva comme l'on dit Lara[4],
Et puis qu'il est mon hôte, et puis qu'il est votre hôte... —
Mes aïeux, mes seigneurs, voyez : est-ce ma faute?
Jugez entre nous deux!

---

1. Judas, un des douze apôtres, vendit le Christ pour trente
deniers : il symbolise la traîtrise.
2. Va répandre le sang dans ma maison.
3. D'après une légende espagnole reprise par Hugo dans *Les*
Orientales, don Rodrigue de Lara, pour se venger de son beau-frère,
lui fit servir en festin les têtes de ses sept enfants qu'il avait fait égor-
ger.
4. Voir la note précédente.

HERNANI

Ruy Gomez de Silva,

1080 Si jamais vers le ciel noble front s'éleva,
Si jamais cœur fut grand, si jamais âme haute,
C'est la vôtre, seigneur! c'est la tienne, ô mon hôte!
Moi qui te parle ici, je suis coupable, et n'ai
Rien à dire, sinon que je suis bien damné.
1085 Oui, j'ai voulu te prendre et t'enlever ta femme,
Oui, j'ai voulu souiller ton lit, oui, c'est infâme!
J'ai du sang. Tu feras très bien de le verser,
D'essuyer ton épée, et de n'y plus penser!

DOÑA SOL

Seigneur, ce n'est pas lui! Ne frappez que moi-même!...

HERNANI

1090 Taisez-vous, doña Sol. Car cette heure est suprême!
Cette heure m'appartient. Je n'ai plus qu'elle. Ainsi
Laissez-moi m'expliquer avec le duc ici.
Duc! — crois aux derniers mots de ma bouche : j'en jure[1],
Je suis coupable, mais sois tranquille, — elle est pure!
1095 C'est là tout. Moi coupable, elle pure; ta foi[2]
Pour elle; — un coup d'épée ou de poignard pour moi.
Voilà. — Puis fais jeter le cadavre à la porte
Et laver le plancher, si tu veux, il n'importe!

DOÑA SOL

Ah! moi seule ai tout fait. Car je l'aime.
Don Ruy se détourne à ce mot en tressaillant, et fixe sur
doña Sol un regard terrible. Elle se jette à ses genoux.
                                        Oui, pardon!
1100 Je l'aime, monseigneur!

DON RUY GOMEZ
Vous l'aimez!

A Hernani.
                                        Tremble donc!

1. Je l'affirme.
2. Ta confiance.

Bruit de trompettes au-dehors. — Entre le page. Au page.
Qu'est ce bruit?

LE PAGE
C'est le roi, monseigneur, en personne,
Avec un gros d'archers[1] et son héraut[2] qui sonne.

DOÑA SOL
Dieu! le roi! Dernier coup!

LE PAGE, *au duc.*
Il demande pourquoi
La porte est close, et veut qu'on ouvre.

DON RUY GOMEZ
Ouvrez au roi.
Le page s'incline et sort.

DOÑA SOL
1105 Il est perdu!
*Don Ruy Gomez va à l'un des tableaux, qui est son
propre portrait et le dernier à gauche; il presse un ressort,
le portrait s'ouvre comme une porte, et laisse voir une
cachette pratiquée dans le mur. Il se tourne vers Hernani.*

DON RUY GOMEZ
Monsieur, entrez ici.

HERNANI
Ma tête
Est à toi. Livre-la, seigneur. Je la tiens prête,
Je suis ton prisonnier.
*Il entre dans la cachette. Don Ruy presse de nouveau le
ressort, tout se referme, et le portrait revient à sa place.*

DOÑA SOL, *au duc.*
Seigneur, pitié pour lui!

LE PAGE, *entrant.*
Son altesse le roi!
*Doña Sol baisse précipitamment son voile. La porte
s'ouvre à deux battants. Entre don Carlos en habit de*

1. Une troupe importante formée d'archers.
2. Officier chargé des proclamations solennelles qu'il fait précéder d'une sonnerie de trompette.

*guerre, suivi d'une foule de gentilshommes également
armés, de pertuisaniers, d'arquebusiers, d'arbalétriers[1].*

SCÈNE VI

DON RUY GOMEZ, DOÑA SOL, *voilée;* DON CARLOS; SUITE.

*Don Carlos s'avance à pas lents, la main gauche sur le
pommeau de son épée, la droite dans sa poitrine, et fixe
sur le vieux duc un œil de défiance et de colère. Le duc va
au-devant du roi et le salue profondément. — Silence. —
Attente et terreur alentour. Enfin, le roi, arrivé en face du
duc, lève brusquement la tête.*

DON CARLOS

D'où vient donc aujourd'hui,
Mon cousin, que ta porte est si bien verrouillée?
1110 Par les saints! je croyais ta dague plus rouillée!
Et je ne savais pas qu'elle eût hâte à ce point,
Quand nous te venons voir, de reluire à ton poing!
*Don Ruy Gomez veut parler, le roi poursuit avec un geste
impérieux.*
C'est s'y prendre un peu tard pour faire le jeune
[homme!
Avons-nous des turbans[2]? serait-ce qu'on me nomme
1115 Boabdil[3] ou Mahom[4], et non Carlos, répond!
Pour nous baisser la herse et nous lever le pont[5]?

1. Soldats armés de pertuisanes (lances munies d'une lame
triangulaire), d'arquebuses (ancêtres du fusil) et d'arbalètes (arcs
d'acier dont la corde est tendue par un ressort).
2. Allusion aux turbans des Maures contre lesquels Isabelle la
Catholique et Ferdinand d'Aragon menèrent une guerre pour
reconquérir les territoires espagnols qu'ils occupaient (c'est la
« Reconquista » qui s'achève en 1492).
3. Dernier roi maure, Boabdil fut vaincu par Ferdinand d'Aragon (lors de la prise de Grenade en 1492).
4. Forme médiévale du nom du prophète et fondateur de la religion musulmane, Mahomet (570-632).
5. L'entrée du château est protégée par une herse (une grille de
fer ou de bois destinée à fermer une porte) et un pont-levis.

DON RUY GOMEZ, *s'inclinant.*
Seigneur...

DON CARLOS, *à ses gentilshommes.*
            Prenez les clefs! saisissez-vous des portes!
Deux officiers sortent. Plusieurs autres rangent les soldats
en triple haie dans la salle, du roi à la grande porte. Don
Carlos se retourne vers le duc.
Ah! vous réveillez donc les rébellions mortes[1]!
Pardieu! si vous prenez de ces airs avec moi,
1120 Messieurs les ducs, le roi prendra des airs de roi!
Et j'irai par les monts, de mes mains aguerries[2],
Dans leurs nids crénelés[3] tuer les seigneuries!

DON RUY GOMEZ, *se redressant.*
Altesse, les Silva sont loyaux...

DON CARLOS, *l'interrompant.*
                        Sans détours,
Réponds, duc! ou je fais raser tes onze tours!
1125 De l'incendie éteint il reste une étincelle,
Des bandits morts, il reste un chef. — Qui le recèle?
C'est toi! Ce Hernani, rebelle empoisonneur[4],
Ici, dans ton château, tu le caches!

DON RUY GOMEZ
                        Seigneur,
C'est vrai.

DON CARLOS
            Fort bien. Je veux sa tête, — ou bien la tienne.
1130 Entends-tu, mon cousin?

---

1. Allusion aux luttes des seigneurs féodaux contre l'autorité du roi.
2. Accoutumées à la guerre.
3. Certains châteaux comme celui de Silva, « dans les montagnes d'Aragon », sont comme des nids d'aigle protégés par leurs créneaux.
4. Au sens figuré, Hernani « empoisonne », c'est-à-dire trouble l'ordre public.

DON RUY GOMEZ, *s'inclinant.*
                        Mais qu'à cela ne tienne !
Vous serez satisfait.
Doña Sol cache sa tête dans ses mains et tombe sur le fauteuil.

DON CARLOS, *radouci.*
                        Ah ! tu t'amendes ! — Va
Chercher mon prisonnier.
Le duc croise les bras, baisse la tête et reste quelques moments rêveur. Le roi et doña Sol l'observent en silence et agités d'émotions contraires. Enfin le duc relève son front, va au roi, lui prend la main, et le mène à pas lents devant le plus ancien des portraits, celui qui commence la galerie à droite du spectateur.

DON RUY GOMEZ, *montrant au roi le vieux portrait.*
                        Celui-ci, des Silva
C'est l'aîné, c'est l'aïeul, l'ancêtre, le grand homme !
Don Silvius, qui fut trois fois consul de Rome[1].
                        Passant au portrait suivant.
1135 Voici don Galceran de Silva, l'autre Cid !
On lui garde à Toro, près de Valladolid[2],
Une châsse[3] dorée où brûlent mille cierges.
Il affranchit Leòn du tribut des cent vierges[4].
                        Passant à un autre.
— Don Blas, — qui, de lui-même et dans sa bonne foi,
1140 S'exila pour avoir mal conseillé le roi.
                        A un autre.
— Christoval. — Au combat d'Escalona, don Sanche[5],
Le roi, fuyait à pied, et sur sa plume blanche
Tous les coups s'acharnaient ; il cria : Christoval !

1. Les familles nobles aimaient se donner de très lointains ancêtres romains pour vanter l'ancienneté de leur lignage.
2. Toro et Valladolid sont des villes de la province de Leòn (au nord-ouest de l'Espagne).
3. Coffre contenant les reliques d'un saint.
4. Le royaume chrétien du Leòn devait livrer un tribut de cent jeunes filles à ses vainqueurs musulmans.
5. Roi de Navarre et de Castille (1029-1035).

Christoval prit la plume et donna son cheval.

A un autre.

1145 — Don Jorge, qui paya la rançon de Ramire[1],
Roi d'Aragon.

DON CARLOS, *croisant les bras et le regardant de la tête*
aux pieds.

Pardieu! don Ruy, je vous admire!
Mon prisonnier!

DON RUY GOMEZ, *passant à un autre.*

Voici Ruy Gomez de Silva,
Grand-maître de Saint-Jacque et de Calatrava[2]!
Son armure géante irait mal à nos tailles.
1150 Il prit trois cents drapeaux, gagna trente batailles,
Conquit au roi Motril, Antequera, Suez,
Nijar[3], et mourut pauvre. — Altesse, saluez.
Il s'incline, se découvre, et passe à un autre. Le roi l'écoute
avec une impatience et une colère toujours croissantes.
Près de lui, Gil son fils, cher aux âmes loyales.
Sa main pour un serment valait les mains royales.

A un autre.

1155 — Don Gaspar, de Mendoce et de Silva l'honneur!
Toute noble maison tient à Silva, seigneur.
Sandoval tour à tour nous craint ou nous épouse.
Manrique nous envie et Lara nous jalouse.
Alencastre[4] nous hait. Nous touchons à la fois
1160 Du pied à tous les ducs, du front à tous les rois!

DON CARLOS, *impatienté.*

Vous raillez-vous?

1. Roi d'Aragon et de Navarre (1043-1094).
2. Les ordres militaires et religieux de Saint-Jacques-de-l'Épée
et de Calatrava ont été fondés au XIIe siècle en Castille pour
combattre les Maures.
3. Villes d'Andalousie reprises aux musulmans aux XIIIe et
XIVe siècles.
4. Mendoce, Sandoval, Manrique, Lara, Alencastre : familles de
la noblesse espagnole. Hugo a emprunté la plupart des noms de
famille et de lieux au *Romancero general.*

DON RUY GOMEZ, *allant à d'autres portraits.*
                              Voilà don Vasquez, dit le Sage.
Don Jayme, dit le Fort. Un jour, sur son passage,
Il arrêta Zamet[1] et cent maures tout seul.
— J'en passe, et des meilleurs.
Sur un geste de colère du roi, il passe un grand nombre de
tableaux, et vient tout de suite aux trois derniers portraits
à gauche du spectateur.
                              Voici mon noble aïeul.
1165 Il vécut soixante ans, gardant la foi jurée,
Même aux juifs[2].
A l'avant-dernier.
                              Ce vieillard, cette tête sacrée,
C'est mon père. Il fut grand, quoiqu'il vint le dernier.
Les maures de Grenade[3] avaient fait prisonnier
Le comte Alvar Giron, son ami. Mais mon père
1170 Prit pour l'aller chercher six cents hommes de guerre,
Il fit tailler en pierre un comte Alvar Giron
Qu'à sa suite il traîna, jurant par son patron[4]
De ne point reculer, que le comte de pierre
Ne tournât front lui-même et n'allât en arrière.
1175 Il combattit, puis vint au comte, et le sauva.

DON CARLOS
Mon prisonnier !

DON RUY GOMEZ
                              C'était un Gomez de Silva.
Voilà donc ce qu'on dit quand dans cette demeure
On voit tous ces héros...

DON CARLOS
                              Mon prisonnier sur l'heure !

1. Ibn Melik el-Khaulana Samah : émir arabe qui domina une
partie de l'Espagne au VIIIe siècle.
2. Les juifs d'Espagne furent condamnés à l'exil ou à la conver-
sion à partir de 1492.
3. Ville d'Andalousie et dernier royaume musulman d'Espagne
(jusqu'en 1492).
4. Par son saint protecteur.

DON RUY GOMEZ

*Il s'incline profondément devant le roi, lui prend la main
et le mène devant le dernier portrait, celui qui sert de porte
à la cachette où il a fait entrer Hernani. Doña Sol le suit
des yeux avec anxiété. — Attente et silence dans l'assis-
tance.*

Ce portrait, c'est le mien. — Roi don Carlos, merci!
1180 — Car vous voulez qu'on dise en le voyant ici :
« Ce dernier, digne fils d'une race si haute,
Fut un traître, et vendit la tête de son hôte! »
*Joie de doña Sol. Mouvement de stupeur dans l'assemblée.
Le roi, déconcerté, s'éloigne avec colère, puis reste quelques
instants silencieux, les lèvres tremblantes et l'œil
enflammé.*

DON CARLOS

Duc, ton château me gêne et je le mettrai bas!

DON RUY GOMEZ

Car vous me la paieriez[1], altesse, n'est-ce pas?

DON CARLOS

1185 Duc, j'en ferai raser les tours pour tant d'audace,
Et je ferai semer du chanvre[2] sur la place!

DON RUY GOMEZ

Mieux voir[3] croître du chanvre où ma tour s'éleva,
Qu'une tache ronger le vieux nom de Silva.
Aux portraits.
N'est-il pas vrai, vous tous?

DON CARLOS

                              Duc! cette tête est nôtre,
1190 Et tu m'avais promis...

DON RUY GOMEZ

                    J'ai promis l'une ou l'autre.
                                        Aux portraits.
N'est-il pas vrai, vous tous?

---

1. Vous me paieriez la tête de mon hôte.
2. Le chanvre pousse vite. On en fait aussi la corde des pendai-
sons.
3. Il vaut mieux voir (tournure elliptique).

Montrant sa tête.
Je donne celle-ci.
Au roi.
Prenez-la.

DON CARLOS
Duc, fort bien. Mais j'y perds, grand merci !
La tête qu'il me faut est jeune, il faut que morte
On la prenne aux cheveux. La tienne ? que m'importe !
1195 Le bourreau la prendrait par les cheveux en vain.
Tu n'en as pas assez pour lui remplir la main !

DON RUY GOMEZ
Altesse, pas d'affront ! ma tête encore est belle,
Et vaut bien, que je crois[1], la tête d'un rebelle.
La tête d'un Silva, vous êtes dégoûté !

DON CARLOS
1200 Livre-nous Hernani !

DON RUY GOMEZ
Seigneur, en vérité,
J'ai dit[2].

DON CARLOS, *à sa suite.*
Fouillez partout ! et qu'il ne soit point d'aile,
De cave ni de tour...

DON RUY GOMEZ
Mon donjon est fidèle
Comme moi. Seul il sait le secret avec moi.
Nous le garderons bien tous deux.

DON CARLOS
Je suis le roi !

DON RUY GOMEZ
1205 A moins de démolir le château pierre à pierre,
D'assassiner le maître, on n'aura rien.

---

1. A ce que je crois.
2. Formule marquant un choix définitif.

DON CARLOS

Prière,
Menace, tout est vain! — Livre-moi le bandit,
Duc! ou tête et château, j'abattrai tout.

DON RUY GOMEZ

J'ai dit.

DON CARLOS

Hé bien donc! au lieu d'une alors j'aurai deux têtes.
Au duc d'Alcala.
1210 Jorge, arrêtez le duc!

DOÑA SOL, *arrachant son voile et se jetant entre le roi,*
le duc et les gardes.
Roi don Carlos, vous êtes
Un mauvais roi!

DON CARLOS

Grand Dieu! que vois-je? doña Sol!

DOÑA SOL

Altesse, tu n'as pas le cœur d'un Espagnol[1]!

DON CARLOS, *troublé et chancelant.*
Madame, pour le roi vous êtes bien sévère.
Il s'approche de doña Sol. Bas.
C'est vous qui m'avez mis au cœur cette colère.
1215 Un homme devient ange ou monstre en vous touchant.
Ah! quand on est haï, que vite on est méchant!
Si vous aviez voulu, peut-être, ô jeune fille,
J'étais grand, j'eusse été le lion de Castille!
Vous m'en faites le tigre avec votre courroux.
1220 Le voilà qui rugit, madame! taisez-vous!
Doña Sol lui jette un regard. Il s'incline.
Pourtant j'obéirai.

---

1. Don Carlos est né à Gand dans les Flandres et son père était
allemand (voir les vers 1610-1611).

Se tournant vers le duc.
Mon cousin, je t'estime.
Ton scrupule après tout peut sembler légitime.
Sois fidèle à ton hôte, infidèle à ton roi,
C'est bien. — Je te fais grâce et suis meilleur que toi.
225 — J'emmène seulement ta nièce comme otage.

DON RUY GOMEZ
Seulement !

DOÑA SOL, *interdite et effrayée.*
Moi, seigneur !

DON CARLOS
Oui, vous !

DON RUY GOMEZ
Pas davantage !
Ô la grande clémence ! ô généreux vainqueur
Qui ménage la tête et torture le cœur !
Belle grâce !

DON CARLOS
Choisis. — Doña Sol, ou le traître.
230 Il me faut l'un des deux.

DON RUY GOMEZ
Oh ! vous êtes le maître !
*Don Carlos s'approche de doña Sol pour l'emmener. Elle
se réfugie vers don Ruy Gomez.*

DOÑA SOL
Sauvez-moi, monseigneur !...
Elle s'arrête tout à coup. — A part.
Malheureuse, il le faut !
La tête de mon oncle ou l'autre !... Moi plutôt !
Au roi.
Je vous suis.

DON CARLOS, *à part.*
Par les saints ! l'idée est triomphante !
Il faudra bien enfin s'adoucir, mon infante[1] !
Doña Sol va d'un pas grave et assuré au coffret qui ren-

---

1. Enfant en espagnol (et notamment fille de sang royal).

*ferme l'écrin, l'ouvre et y prend le poignard qu'elle cache
dans son sein. Don Carlos vient à elle et lui présente la
main.*

DON CARLOS, *à doña Sol.*
1235 Qu'emportez-vous là?

DOÑA SOL
Rien.

DON CARLOS
Un joyau précieux?

DOÑA SOL
Oui.

DON CARLOS, *souriant.*
Voyons.

DOÑA SOL
Vous verrez.
*Elle lui donne la main et se dispose à le suivre. Don Ruy
Gomez, qui est resté immobile et profondément absorbé
dans sa pensée, se retourne, et fait quelques pas en criant.*

DON RUY GOMEZ
Doña Sol! terre et cieux!
Doña Sol! — Puisque l'homme ici n'a point d'entrailles [1],
A mon aide, croulez! armures et murailles!
Il court au roi.
Laisse-moi mon enfant! je n'ai qu'elle, ô mon roi!

DON CARLOS, *lâchant la main de doña Sol.*
1240 Alors, mon prisonnier!
*Le duc baisse la tête et semble en proie à une horrible hési-
tation; puis il se relève, et regarde les portraits en joignant
les mains vers eux.*

DON RUY GOMEZ
Ayez pitié de moi,
Vous tous!
*Il fait un pas vers la cachette d'Hernani; doña Sol le suit
des yeux avec anxiété. Il se retourne vers les portraits.*

1. Point de cœur.

Oh! voilez-vous! votre regard m'arrête.
*Il s'avance en chancelant jusqu'à son portrait, puis se
retourne encore vers le roi.*
Tu le veux?

DON CARLOS

Oui.
Le duc lève en tremblant la main vers le ressort.

DOÑA SOL

Dieu!

DON RUY GOMEZ, *repoussant la muraille du pied.*
Non!
Il se jette aux genoux du roi.
Par pitié, prends ma tête!

DON CARLOS

Ta nièce!

DON RUY GOMEZ, *se relevant.*
Prends-la donc! et laisse-moi l'honneur!

DON CARLOS, *saisissant la main de doña Sol tremblante.*
Adieu, duc.

DON RUY GOMEZ

Au revoir. —
*Il suit de l'œil le roi, qui se retire lentement avec doña Sol;
puis il met la main sur son poignard.*
Dieu vous garde, seigneur!
*Il revient sur le devant du théâtre haletant, immobile,
sans plus rien voir ni entendre, l'œil fixe, les bras croisés
sur sa poitrine, qui les soulève comme par des mouvements
convulsifs. Cependant le roi sort avec doña Sol, et toute la
suite des seigneurs sort après lui, deux à deux, gravement
et chacun à son rang. Ils se parlent à voix basse entre eux.*

DON RUY GOMEZ, *à part.*
1245 Roi! pendant que tu sors joyeux de ma demeure,
Ma vieille loyauté sort de mon cœur qui pleure.
Il lève les yeux, les promène autour de lui, et voit qu'il est

seul. Il court à la muraille, détache deux épées d'une
panoplie, les mesures toutes deux, puis les dépose sur une
table. Cela fait, il va au portrait, pousse le ressort, la porte
cachée se rouvre.

SCÈNE VII

DON RUY GOMEZ, HERNANI

DON RUY GOMEZ

Sors.
Hernani paraît à la porte de la cachette. Don Ruy lui
montre les deux épées sur la table.
          Choisis. — Don Carlos est hors de la maison.
Il s'agit maintenant de me rendre raison.
Choisis! Et faisons vite. — Allons donc! ta main tremble!

HERNANI

1250 Un duel! Nous ne pouvons, vieillard, combattre ensemble!

DON RUY GOMEZ

Pourquoi donc? As-tu peur? N'es-tu point noble? Enfer!
Noble ou non, pour croiser le fer avec le fer,
Tout homme qui m'outrage est assez gentilhomme!

HERNANI

Vieillard...

DON RUY GOMEZ
          Viens me tuer ou viens mourir, jeune homme!

HERNANI

1255 Mourir, oui. — Vous m'avez sauvé, malgré mes vœux.
Donc ma vie est à vous. Reprenez-la.

DON RUY GOMEZ
                    Tu veux?
                         Aux portraits.
Vous voyez qu'il le veut.
                              A Hernani.
          C'est bon. Fais ta prière.

HERNANI

Oh! c'est à toi, seigneur, que je fais la dernière.

DON RUY GOMEZ

Parle à l'autre Seigneur[1]!

HERNANI

    Non, non, à toi! — Vieillard,
1260 Frappe-moi. Tout m'est bon, dague, épée ou poignard!
Mais fais-moi, par pitié, cette suprême joie!
Duc! avant de mourir permets que je la voie!

DON RUY GOMEZ

La voir!

HERNANI

   Au moins permets que j'entende sa voix
Une dernière fois! rien qu'une seule fois!

DON RUY GOMEZ

1265 L'entendre!

HERNANI

   Oh! je comprends, seigneur, ta jalousie.
Mais déjà par la mort ma jeunesse est saisie,
Pardonne-moi. Veux-tu, dis-moi, que, — sans la voir,
S'il le faut, — je l'entende? et je mourrai ce soir.
L'entendre seulement! contente mon envie!
1270 Mais, oh! qu'avec douceur j'exhalerais ma vie,
Si tu daignais vouloir qu'avant de fuir aux cieux
Mon âme allât revoir la sienne dans ses yeux!
— Je ne lui dirai rien, tu seras là, mon père!
Tu me prendras après!

DON RUY GOMEZ, *montrant la cachette encore ouverte.*
     Saints du ciel! ce repaire
1275 Est-il donc si profond, si sourd et si perdu,
Qu'il n'ait entendu rien?

_____

1. Prie Dieu (avant de mourir).

HERNANI

Je n'ai rien entendu.

DON RUY GOMEZ

Il a fallu livrer doña Sol ou toi-même.

HERNANI

A qui, livrée ?

DON RUY GOMEZ

Au roi !

HERNANI

Vieillard stupide ! il l'aime !

DON RUY GOMEZ

Il l'aime !

HERNANI

Il nous l'enlève ! il est notre rival !

DON RUY GOMEZ

1280 Ô malédiction ! — Mes vassaux[1] ! à cheval,
A cheval ! poursuivons le ravisseur

HERNANI

Ecoute.
La vengeance au pied sûr fait moins de bruit en route.
Je t'appartiens. Tu peux me tuer. Mais veux-tu
M'employer à venger ta nièce et sa vertu ?
1285 Ma part dans ta vengeance ! oh ! fais-moi cette grâce,
Et s'il faut embrasser tes pieds, je les embrasse !
Suivons le roi tous deux ! Viens, je serai ton bras,
Je te vengerai, duc. — Après, tu me tueras !

DON RUY GOMEZ

Alors, comme aujourd'hui, te laisseras-tu faire ?

HERNANI

1290 Oui, duc.

1. Les hommes liés à un seigneur par un engagement de fidélité.

DON RUY GOMEZ
Qu'en jures-tu ?

HERNANI
La tête de mon père !

DON RUY GOMEZ
Voudras-tu de toi-même un jour t'en souvenir ?

HERNANI, *lui présentant le cor qu'il détache de sa*
ceinture.
Ecoute. Prends ce cor. — Quoi qu'il puisse advenir,
Quand tu voudras, seigneur, quel que soit le lieu, l'heure,
S'il te passe à l'esprit qu'il est temps que je meure,
1295 Viens, sonne de ce cor, et ne prends d'autres soins.
Tout sera fait !

DON RUY GOMEZ, *lui tendant la main.*
Ta main.
Tous deux se serrent la main. — Aux portraits.
Vous tous, soyez témoins !

ACTE QUATRIÈME

LE TOMBEAU

AIX-LA-CHAPELLE[1]

Les caveaux qui renferment le tombeau de Charlemagne à Aix-la-Chapelle. De grandes voûtes d'architecture lombarde. Gros piliers bas, pleins-cintres[2], chapiteaux d'oiseaux et de fleurs[3]. — A droite, le tombeau de Charlemagne, avec une petite porte de bronze, basse et cintrée. Une seule lampe suspendue à une clef de voûte[4] en éclaire l'inscription : CAROLO MAGNO[5]. — Il est nuit. On ne voit pas le fond du souterrain ; l'œil se perd dans les arcades, les escaliers et les piliers qui s'entrecroisent dans l'ombre.

1. Placer l'élection de Charles Quint à Aix-la-Chapelle dans le tombeau de Charlemagne permettait à Hugo de donner plus de résonance épique et politique à cet Acte. L'élection de 1519 eut lieu, en réalité, à Francfort.
2. Arcs d'une voûte en demi-cercle caractéristiques de l'architecture romane.
3. Ornements des piliers qui soutiennent la voûte.
4. Pierre placée dans la partie centrale d'une voûte dont elle assure l'équilibre.
5. Charlemagne (en latin).

SCÈNE PREMIÈRE

DON CARLOS, DON RICARDO DE ROXAS, COMTE[1] DE
CASAPALMA, *une lanterne à la main. Grands manteaux,
chapeaux rabattus.*

DON RICARDO, *son chapeau à la main.*
C'est ici.

DON CARLOS
C'est ici que la ligue[2] s'assemble !
Que je vais dans ma main les tenir tous ensemble !
Ah ! monsieur l'électeur de Trèves[3], c'est ici !
1300 Vous leur prêtez ce lieu ! Certe, il est bien choisi !
Un noir complot prospère à l'air des catacombes.
Il est bon d'aiguiser les stylets[4] sur des tombes.
Pourtant c'est jouer gros. La tête est de l'enjeu,
Messieurs les assassins ! et nous verrons. — Pardieu !
1305 Ils font bien de choisir pour une telle affaire
Un sépulcre, — ils auront moins de chemin à faire.
                              A don Ricardo.
Ces caveaux sous le sol s'étendent-ils bien loin ?

DON RICARDO
Jusques[5] au château-fort.

DON CARLOS
                              C'est plus qu'il n'est besoin.

---

1. De simple seigneur, don Ricardo est devenu comte (voir la
scène 1 de l'Acte II).
2. L'assemblée des conjurés contre don Carlos-Charles Quint.
3. Il s'agit de l'archevêque de Trèves, en Allemagne. Il fait partie
des sept électeurs du nouvel empereur. Sa juridiction comprend la
cathédrale d'Aix-la-Chapelle.
4. Poignards à lame mince.
5. Pour « jusque » (orthographe ancienne).

DON RICARDO

D'autres, de ce côté, vont jusqu'au monastère
1310 D'Altenheim[1]...

DON CARLOS

Où Rodolphe extermina Lothaire[2].
Bien. — Une fois encor, comte, redites-moi
Les noms et les griefs, où, comment, et pourquoi.

DON RICARDO

Gotha[3].

DON CARLOS

Je sais pourquoi le brave duc conspire.
Il veut un Allemand d'Allemagne à l'Empire.

DON RICARDO

1315 Hohenbourg[4].

DON CARLOS

Hohenbourg aimerait mieux, je croi[5],
L'enfer avec François[6] que le ciel avec moi.

DON RICARDO

Don Gil Tellez Giron[7].

DON CARLOS

Castille et Notre-Dame !
Il se révolte donc contre son roi, l'infâme !

DON RICARDO

On dit qu'il vous trouva chez madame Giron
1320 Un soir que vous veniez de le faire baron.
Il veut venger l'honneur de sa tendre compagne.

---

1. Ce monastère carolingien était situé près d'Aix-la-Chapelle.
2. Allusion à la lutte qui oppose, au IXᵉ siècle, les descendants de
Charlemagne (Lothaire) aux rois de Bourgogne (Rodolphe).
3. Duché allemand dans la province de Thuringe.
4. Ancien comté de l'Empire d'Allemagne.
5. Licence orthographique pour la rime.
6. François Iᵉʳ. Voir note du v. 298.
7. Cet Espagnol a réellement lutté contre Charles Quint au sein
de la Ligue des communes formée en 1520 (léger anachronisme).

DON CARLOS

C'est donc qu'il se révolte alors contre l'Espagne.
— Qui nomme-t-on encore?

DON RICARDO

On cite avec ceux-là
Le révérend Vasquez, évêque d'Avila[1].

DON CARLOS

1325 Est-ce aussi pour venger la vertu de sa femme?

DON RICARDO

Puis Guzman de Lara[2], mécontent, qui réclame
Le collier de votre ordre[3].

DON CARLOS

Ah! Guzman de Lara!
Si ce n'est qu'un collier[4] qu'il lui faut, il l'aura.

DON RICARDO

Le duc de Lutzelbourg[5]. Quant aux plans qu'on lui
[prête...

DON CARLOS

1330 Le duc de Lutzelbourg est trop grand de la tête.

DON RICARDO

Juan de Haro, qui veut Astorga[6].

DON CARLOS

Ces Haro
Ont toujours fait doubler la solde du bourreau.

1. Ville où se forma la Ligue des communes (voir note précédente).
2. Nom d'un personnage d'une pièce de Lope de Vega, drama-
turge espagnol du XVIIe siècle.
3. L'ordre de la Toison d'Or (voir note du v. 270).
4. En Espagne, on étranglait les condamnés à mort en serrant un
collier.
5. Forme ancienne de Luxembourg.
6. Ville de l'ancien royaume de Leòn.

DON RICARDO

C'est tout.

DON CARLOS

      Ce ne sont pas toutes mes têtes. Comte,
Cela ne fait que sept, et je n'ai pas mon compte.

DON RICARDO

1335 Ah! je ne nomme pas quelques bandits, gagés
Par Trève[1] ou par la France...

DON CARLOS

                Hommes sans préjugés
Dont le poignard, toujours prêt à jouer son rôle,
Tourne aux plus gros écus[2], comme l'aiguille au pôle!

DON RICARDO

Pourtant j'ai distingué deux hardis compagnons,
1340 Tous deux nouveaux venus. Un jeune, un vieux.

DON CARLOS

                  Leurs noms?
   Don Ricardo lève les épaules en signe d'ignorance.
Leur âge?

DON RICARDO

    Le plus jeune a vingt ans.

DON CARLOS

                C'est dommage.

DON RICARDO

Le vieux soixante, au moins.

DON CARLOS

              L'un n'a pas encor l'âge,
Et l'autre ne l'a plus. Tant pis. J'en prendrai soin.
Le bourreau peut compter sur mon aide au besoin.

---

1. Licence orthographique pour la métrique.
2. Se donne au plus offrant.

1345 Ah! loin que mon épée aux factions[1] soit douce,
Je la lui prêterai si sa hache s'émousse,
Comte, et pour l'élargir, je coudrai, s'il le faut,
Ma pourpre impériale[2] au drap de l'échafaud.
— Mais serai-je empereur seulement?

DON RICARDO

                                    Le collège[3],
1350 A cette heure assemblé, délibère.

DON CARLOS

                                    Que sais-je?
Ils nommeront François premier, ou leur saxon,
Leur Frédéric-le-Sage[4]! — Ah! Luther a raison,
Tout va mal! — Beaux faiseurs de majestés sacrées!
N'acceptant pour raison que les raisons dorées[5]!
1355 Un saxon hérétique[6]! un comte palatin[7]
Imbécile! un primat[8] de Trèves libertin!
— Quant au roi de Bohême, il est pour moi. — Des
                                    [princes
De Hesse[9], plus petits encor que leurs provinces!
De jeunes idiots! des vieillards débauchés!
1360 Des couronnes, fort bien! mais des têtes[10]? cherchez!
Des nains! que je pourrais, concile ridicule,
Dans ma peau de lion emporter comme Hercule[11]!

---

1. Groupes se livrant à des actions violentes contre un Etat.
2. Le manteau impérial était de couleur pourpre.
3. La réunion des sept grands électeurs chargés de désigner l'empereur.
4. Voir la note du v. 297.
5. Selon don Carlos, les électeurs de la « majesté sacrée » (titre officiel de l'empereur) peuvent être achetés à prix d'or.
6. Pour avoir soutenu Luther, Frédéric de Saxe fut excommunié en 1520.
7. Le comte de Rhénanie. A l'origine, les comtes « palatins » accueillaient, dans leur palais (du latin « palatium »), l'empereur au cours de ses déplacements dans le Saint Empire.
8. Au premier rang dans la hiérarchie des archevêques.
9. Etat de l'ancienne confédération germanique.
10. C'est-à-dire des hommes intelligents.
11. Au cours de l'un de ses « douze travaux », Hercule se revêtit de la peau du lion de Némée qu'il avait tué.

Et qui, démaillotés du manteau violet[1],
Auraient la tête encor de moins que Triboulet[2]!
1365 — Il me manque trois voix, Ricardo! tout me manque!
Oh! je donnerais Gand, Tolède et Salamanque[3],
Mon ami Ricardo, trois villes à leur choix,
Pour trois voix, s'ils voulaient! Vois-tu, pour ces trois voix,
Oui, trois de mes cités de Castille ou de Flandre,
1370 Je les donnerais! — sauf, plus tard, à les reprendre!
Don Ricardo salue profondément le roi, et met son chapeau sur sa tête.
— Vous vous couvrez?

DON RICARDO
                              Seigneur, vous m'avez tutoyé[4],
                                        Saluant de nouveau.
Me voilà grand d'Espagne.

DON CARLOS, *à part.*
                              Ah! tu me fais pitié,
Ambitieux de rien! — Engeance intéressée!
Comme à travers la nôtre ils suivent leur pensée!
1375 Basse-cour où le roi, mendié sans pudeur,
A tous ces affamés émiette la grandeur!
                                        Rêvant.
Dieu seul et l'empereur sont grands! — et le saint-père!
Le reste, rois et ducs! qu'est cela?

DON RICARDO
                              Moi, j'espère
Qu'ils prendront votre altesse.

DON CARLOS, *à part.*
                              Altesse! Altesse, moi!
1380 J'ai du malheur en tout. — S'il fallait rester roi!

---

1. Manteau des électeurs du Saint Empire.
2. Célèbre nain, bouffon du roi François Ier et personnage du drame de Hugo, *Le Roi s'amuse* (1832).
3. Ancienne capitale du royaume de Leòn.
4. La coutume voulait que le roi tutoyât les grands d'Espagne qui, seuls, pouvaient paraître couverts devant lui.

DON RICARDO, *à part.*

Baste[1]! empereur ou non, me voilà grand d'Espagne.

DON CARLOS

Sitôt qu'ils auront fait l'empereur d'Allemagne,
Quel signal à la ville annoncera son nom?

DON RICARDO

Si c'est le duc de Saxe, un seul coup de canon.
385 Deux, si c'est le français. Trois, si c'est votre altesse.

DON CARLOS

Et cette doña Sol! Tout m'irrite et me blesse!
Comte, si je suis fait empereur, par hasard,
Cours la chercher. Peut-être on voudra d'un César[2]!

DON RICARDO, *souriant.*

Votre altesse est bien bonne!

DON CARLOS, *l'interrompant avec hauteur.*

Ah! là-dessus, silence!
390 Je n'ai point dit encor ce que je veux qu'on pense.
— Quand saura-t-on le nom de l'élu?

DON RICARDO

Mais, je crois,
Dans une heure au plus tard.

DON CARLOS

Oh! trois voix! rien que
[trois!
— Mais écrasons d'abord ce ramas[3] qui conspire,
Et nous verrons après à qui sera l'empire.

Il compte sur ses doigts et frappe du pied.

1395 Toujours trois voix de moins! Ah! ce sont eux qui l'ont!
— Ce Corneille Agrippa[4], pourtant en sait bien long!

---

1. Peu importe (de l'italien « basta » : il suffit).
2. Peut-être voudra-t-elle d'un empereur (on appelait « César » les empereurs romains).
3. Réunion de gens méprisables (le mot est vieilli).
4. Cornélius Agrippa, surnommé le Trismégiste (1486-1536), médecin-astrologue, auteur d'un traité de « Philosophie occulte ».

Dans l'océan céleste il a vu treize étoiles
Vers la mienne du Nord venir à pleines voiles.
J'aurai l'empire, allons ! — Mais d'autre part on dit
1400 Que l'abbé Jean Trithème[1] à François l'a prédit.
    — J'aurais dû, pour mieux voir ma fortune éclaircie,
Avec quelque armement aider la prophétie !
Toutes prédictions du sorcier le plus fin
Viennent bien mieux à terme[2] et font meilleure fin
1405 Quand une bonne armée, avec canons et piques,
Gens de pied, de cheval, fanfares et musiques,
Prête à montrer la route au sort qui veut broncher[3],
Leur sert de sage-femme et les fait accoucher.
Lequel vaut mieux, Corneille Agrippa ? Jean Trithème ?
1410 Celui dont une armée explique le système,
Qui met un fer de lance au bout de ce qu'il dit,
Et compte maint soudard, lansquenet ou bandit[4],
Dont l'estoc[5], refaisant la fortune imparfaite,
Taille l'événement au plaisir du prophète.
1415 — Pauvres fous ! qui, l'œil fier, le front haut, visent droit
A l'empire du monde et disent : J'ai mon droit !
Ils ont force canons, rangés en longues files,
Dont le souffle embrasé ferait fondre des villes,
Ils ont vaisseaux, soldats, chevaux, et vous croyez
1420 Qu'ils vont marcher au but sur les peuples broyés...
Baste ! au grand carrefour de la fortune humaine,
Qui mieux encor qu'au trône à l'abîme nous mène,
A peine ils font trois pas, qu'indécis, incertains,
Tâchant en vain de lire au livre des destins,
1425 Ils hésitent, peu sûrs d'eux-même[6], et dans le doute
Au nécroman[7] du coin vont demander leur route !

---

    1. Autre mage allemand, abbé de Saint-Jacques à Wurzbourg
(1461-1516), ce Johannes Heidenberg de Trittenheim aurait prédit
l'avenir à François Ier.
    2. Métaphore de l'accouchement prolongée au vers 1403.
    3. Sortir du bon chemin.
    4. Ici soldats mercenaires (soudards, lansquenets), servant sous
une même bannière (bandits).
    5. La pointe de l'épée.
    6. Licence orthographique pour des raisons de métrique.
    7. Mage qui prétend interroger les morts pour connaître l'ave-
nir.

A don Ricardo.

— Va-t'en. C'est l'heure où vont venir les conjurés.
Ah! la clef du tombeau?

DON RICARDO, remettant une clef au roi.

Seigneur, vous songerez

Au comte de Limbourg, gardien capitulaire[1],
1430 Qui me l'a confiée et fait tout pour vous plaire.

DON CARLOS, le congédiant.

Fais tout ce que j'ai dit! tout!

DON RICARDO, s'inclinant.

J'y vais de ce pas,

Altesse!

DON CARLOS

Il faut trois coups de canon, n'est-ce pas?
*Don Ricardo s'incline et sort. Don Carlos, resté seul,
tombe dans une profonde rêverie. Ses bras se croisent, sa
tête fléchit sur sa poitrine; puis il la relève et se tourne vers
le tombeau.*

SCÈNE II

DON CARLOS, seul.

Charlemagne, pardon! ces voûtes solitaires
Ne devraient répéter que paroles austères.
1435 Tu t'indignes sans doute à ce bourdonnement
Que nos ambitions font sur ton monument.
— Charlemagne est ici! Comment, sépulcre sombre,
Peux-tu sans éclater contenir si grande ombre?
Es-tu bien là, géant d'un monde créateur[2],
1440 Et t'y peux-tu coucher de toute ta hauteur?

1. Officier de garde dépendant du chapitre de la cathédrale.
2. Créateur d'un monde (inversion). Charlemagne a fondé un
nouvel Empire. (Le pape Léon III l'a couronné Empereur
d'Occident en 800.)

— Ah! c'est un beau spectacle à ravir la pensée
Que l'Europe ainsi faite et comme il l'a laissée!
Un édifice, avec deux hommes au sommet,
Deux chefs élus[1] auxquels tout roi né[2] se soumet.
1445 Presque tous les états, duchés, fiefs militaires,
Royaumes, marquisats, tous sont héréditaires;
Mais le peuple a parfois son pape ou son césar[3],
Tout marche, et le hasard corrige le hasard.
De là vient l'équilibre, et toujours l'ordre éclate.
1450 Electeurs de drap d'or[4], cardinaux d'écarlate[5],
Double sénat sacré dont la terre s'émeut,
Ne sont là qu'en parade, et Dieu veut ce qu'il veut.
Qu'une idée, au besoin des temps[6], un jour éclose,
Elle grandit, va, court, se mêle à toute chose,
1455 Se fait homme, saisit les cœurs, creuse un sillon;
Maint roi la foule aux pieds ou lui met un bâillon;
Mais qu'elle entre un matin à la diète, au conclave[7],
Et tous les rois soudain verront l'idée esclave,
Sur leurs têtes de rois que ses pieds courberont,
1460 Surgir, le globe[8] en main ou la tiare[9] au front.
Le pape et l'empereur sont tout. Rien n'est sur terre
Que pour eux et par eux. Un suprême mystère
Vit en eux, et le ciel, dont ils ont tous les droits,
Leur fait un grand festin des peuples et des rois,
1465 Et les tient sous sa nue, où son tonnerre gronde,
Seuls, assis à la table où Dieu leur sert le monde.
Tête à tête ils sont là, réglant et retranchant,
Arrangeant l'univers comme un faucheur son champ.

---

1. L'Empereur et le Pape.
2. Roi héréditaire contrairement à l'Empereur et au Pape qui
sont élus.
3. Chef religieux ou militaire qu'un peuple peut se donner, rompant avec le régime des monarchies héréditaires (allusion assez
transparente à Napoléon Bonaparte).
4. Le manteau des électeurs du Saint-Empire était brodé d'or.
5. Les cardinaux qui élisent le Pape ont un manteau d'un rouge
vif.
6. Selon les besoins de l'époque.
7. Noms des assemblées qui élisent l'Empereur et le Pape.
8. Emblème du pouvoir impérial.
9. Coiffure à trois couronnes portée par le Pape.

Tout se passe entre eux deux. Les rois sont à la porte,
1470 Respirant la vapeur des mets que l'on apporte,
Regardant à la vitre, attentifs, ennuyés,
Et se haussant, pour voir, sur la pointe des pieds.
Le monde au-dessous d'eux s'échelonne et se groupe.
Ils font et défont. L'un délie et l'autre coupe[1].
1475 L'un est la vérité, l'autre est la force. Ils ont
Leur raison en eux-même, et sont parce qu'ils sont.
Quand ils sortent, tous deux égaux, du sanctuaire,
L'un dans sa pourpre, et l'autre avec son blanc suaire[2],
L'univers ébloui contemple avec terreur
1480 Ces deux moitiés de Dieu, le pape et l'empereur.
— L'empereur! l'empereur! être empereur! — Ô rage,
Ne pas l'être! — et sentir son cœur plein de courage! —
Qu'il fut heureux celui qui dort dans ce tombeau!
Qu'il fut grand! De son temps, c'était encor plus beau.
1485 Le pape et l'empereur! ce n'était plus deux hommes.
Pierre et César[3]! en eux accouplant les deux Romes[4],
Fécondant l'une et l'autre en un mystique hymen,
Redonnant une forme, une âme au genre humain,
Faisant refondre en bloc peuples et pêle-mêle
1490 Royaumes, pour en faire une Europe nouvelle,
Et tous deux remettant au moule de leur main
Le bronze qui restait du vieux monde romain!
Oh! quel destin! — Pourtant cette tombe est la sienne!
Tout est-il donc si peu que ce soit là qu'on vienne?
1495 Quoi donc! avoir été prince, empereur et roi!
Avoir été l'épée, avoir été la loi!
Géant, pour piédestal avoir eu l'Allemagne!
Quoi! pour titre césar et pour nom Charlemagne!

1. Le Pape a le pouvoir spirituel de délivrer du mal par l'absolution des péchés. L'Empereur, détenteur du pouvoir temporel,
tranche les conflits par l'épée.
2. Le Pape porte une longue robe blanche comme le drap des
morts.
3. Symboliquement, Pierre est le premier évêque de Rome,
César Auguste, le premier empereur.
4. Rome fut à la fois la capitale de la chrétienté et celle de
l'Empire romain. Charlemagne, en fondant l'Empire chrétien
d'Occident, réunit les dimensions religieuse et politique.

Avoir été plus grand qu'Annibal[1], qu'Attila[2],
1500 Aussi grand que le monde!... — et que tout tienne là!
Ah! briguez donc l'empire, et voyez la poussière
Que fait un empereur! Couvrez la terre entière
De bruit et de tumulte; élevez, bâtissez
Votre empire, et jamais ne dites : C'est assez!
1505 Taillez à larges pans un édifice immense!
Savez-vous ce qu'un jour il en reste? ô démence!
Cette pierre! Et du titre et du nom triomphants?
Quelques lettres, à faire épeler des enfants[3]!
Si haut que soit le but où votre orgueil aspire,
1510 Voilà le dernier terme!... — Oh! l'empire! l'empire!
Que m'importe! j'y touche, et le trouve à mon gré.
Quelque chose me dit : Tu l'auras! — Je l'aurai. —
Si je l'avais!... — Ô ciel! être ce qui commence!
Seul, debout, au plus haut de la spirale immense!
1515 D'une foule d'états l'un sur l'autre étagés
Etre la clef de voûte, et voir sous soi rangés
Les rois, et sur leur tête essuyer ses sandales;
Voir au-dessous des rois les maisons féodales,
Margraves[4], cardinaux, doges[5], ducs à fleurons[6];
1520 Puis évêques, abbés, chefs de clans[7], hauts barons[8];
Puis clercs et soldats; puis, loin du faîte où nous sommes,
Dans l'ombre, tout au fond de l'abîme, — les hommes.
— Les hommes! c'est-à-dire une foule, une mer,
Un grand bruit, pleurs et cris, parfois un rire amer,
1525 Plainte qui, rêveillant la terre qui s'effare,
A travers tant d'échos nous arrive fanfare!

---

1. Ce général carthaginois (247-183 avant J.-C.) acquit une
grande renommée dans les guerres qu'il mena contre les Romains.
2. Chef des Huns qui envahirent l'Europe occidentale au Vᵉ siècle. Autre symbole de bravoure guerrière.
3. Les vers 1499-1508 sont librement inspirés de la Xᵉ *Satire* du
poète latin Juvénal.
4. Titre de certains princes souverains d'Allemagne.
5. Titre des chefs élus des anciennes républiques de Venise et de
Gênes.
6. Ornement des couronnes ducales.
7. Ensemble de familles écossaises (ou irlandaises) regroupées
sous l'autorité d'un chef.
8. Grands seigneurs (du marquis au baron).

Les hommes! — Des cités, des tours, un vaste essaim, —
De hauts clochers d'église à sonner le tocsin! —

Rêvant.

Base de nations portant sur leurs épaules
1530 La pyramide énorme appuyée aux deux pôles,
Flots vivants, qui toujours l'étreignant de leurs plis,
La balancent, branlante à leur vaste roulis,
Font tout changer de place et, sur ses hautes zones,
Comme des escabeaux font chanceler les trônes,
1535 Si bien que tous les rois, cessant leurs vains débats,
Lèvent les yeux au ciel... Rois! regardez en bas!
— Ah! le peuple! — océan! — onde sans cesse émue,
Où l'on ne jette rien sans que tout ne remue!
Vague qui broie un trône et qui berce un tombeau[1]!
1540 Miroir où rarement un roi se voit en beau!
Ah! si l'on regardait parfois dans ce flot sombre,
On y verrait au fond des empires sans nombre,
Grands vaisseaux naufragés, que son flux et reflux
Roule, et qui le gênaient, et qu'il ne connaît plus!
1545 — Gouverner tout cela! — Monter, si l'on vous nomme,
A ce faîte! Y monter, sachant qu'on n'est qu'un homme!
Avoir l'abîme là!... — Pourvu qu'en ce moment
Il n'aille pas me prendre un éblouissement!
Oh! d'états et de rois mouvante pyramide,
1550 Ton faîte est bien étroit! Malheur au pied timide!
A qui me retiendrais-je? — Oh! si j'allais faillir
En sentant sous mes pieds le monde tressaillir!
En sentant vivre, sourdre, et palpiter la terre!
— Puis, quand j'aurai ce globe[2] entre mes mains qu'en
[faire?
1555 Le pourrai-je porter seulement? Qu'ai-je en moi?
Être empereur, mon Dieu! j'avais trop d'être roi!
Certe, il n'est qu'un mortel de race peu commune
Dont puisse s'élargir l'âme avec la fortune.

---

1. On peut voir dans ces vers une allusion aux événements de la
Révolution française et à la chute de l'empire napoléonien.
2. Le globe terrestre et doré, emblème du pouvoir impérial.

Mais, moi! qui me fera grand? qui sera ma loi?
1560 Qui me conseillera?

Il tombe à deux genoux devant le tombeau.

Charlemagne! c'est toi!

Ah! puisque Dieu, pour qui tout obstacle s'efface,
Prend nos deux majestés et les met face à face,
Verse-moi dans le cœur, du fond de ce tombeau,
Quelque chose de grand, de sublime et de beau!
1565 Oh! par tous ses côtés fais-moi voir toute chose,
Montre-moi que le monde est petit, car je n'ose
Y toucher. Montre-moi que sur cette Babel[1]
Qui du pâtre à César va montant jusqu'au ciel,
Chacun en son degré se complaît et s'admire,
1570 Voit l'autre par-dessous et se retient d'en rire.
Apprends-moi tes secrets de vaincre et de régner,
Et dis-moi qu'il vaut mieux punir que pardonner!
— N'est-ce pas? — S'il est vrai qu'en son lit solitaire
Parfois une grande ombre au bruit que fait la terre
1575 S'éveille, et que soudain son tombeau large et clair
S'entr'ouvre, et dans la nuit jette au monde un éclair,
Si cette chose est vraie, empereur d'Allemagne,
Oh! dis-moi ce qu'on peut faire après Charlemagne!
Parle! dût en parlant ton souffle souverain
1580 Me briser sur le front cette porte d'airain!
Ou plutôt, laisse-moi seul dans ton sanctuaire
Entrer, laisse-moi voir ta face mortuaire,
Ne me repousse pas d'un souffle d'aquilons[2],
Sur ton chevet de pierre accoude-toi. Parlons.
1585 Oui, dusses-tu me dire, avec ta voix fatale[3],
De ces choses qui font l'œil sombre et le front pâle!
Parle, et n'aveugle pas ton fils épouvanté,
Car ta tombe sans doute est pleine de clarté!
Ou, si tu ne dis rien, laisse en ta paix profonde
1590 Carlos étudier ta tête comme un monde;

---

1. La Tour de Babel (Babylone), décrite dans la *Bible* (Genèse, XI, 1-9), symbole de l'appétit de grandeur des hommes qui voulaient l'élever jusqu'au ciel. Elle représente plutôt ici les hiérarchies sociales.

2. Terme poétique pour désigner des vents violents.

3. Qui marque le destin (« fatum » en latin).

Laisse qu'il te mesure à loisir[1], ô géant,
Car rien n'est ici-bas si grand que ton néant!
Que la cendre, à défaut de l'ombre[2], me conseille!

Il approche la clef de la serrure.

Entrons.

Il recule.

Dieu! s'il allait me parler à l'oreille!
1595 S'il était là, debout et marchant à pas lents!
Si j'allais ressortir avec des cheveux blancs!
Entrons toujours!

Bruit de pas.

On vient. Qui donc ose à cette heure,
Hors moi, d'un pareil mort éveiller la demeure?
Qui donc?

Le bruit s'approche.

Ah! j'oubliais! ce sont mes assassins.
1600 Entrons!

*Il ouvre la porte du tombeau, qu'il referme sur lui. —
Entrent plusieurs hommes, marchant à pas sourds, cachés
sous leurs manteaux et leurs chapeaux.*

SCÈNE III

LES CONJURÉS

*Ils vont les uns aux autres, en se prenant la main et en
échangeant quelques paroles à voix basse.*

PREMIER CONJURÉ, *portant seul une torche allumée.*
Ad augusta.

DEUXIÈME CONJURÉ
Per angusta[3].

---

1. A la mode au XIXᵉ siècle, la « phrénologie » prétendait étudier
le caractère humain à partir de la forme du crâne.
2. Au sens de fantôme.
3. « Vers les sommets / par des voies étroites. » Formule médiévale inspirée de l'Evangile : « Intrate per angustam portam. » Entrez
par la porte étroite. (Matthieu, VII, 13.) Elle sert ici de mot de passe
et symbolise le projet des conjurés.

PREMIER CONJURÉ
Les saints

Nous protègent.

TROISIÈME CONJURÉ
Les morts nous servent.

PREMIER CONJURÉ
Dieu nous garde.
Bruit de pas dans l'ombre.

DEUXIÈME CONJURÉ

Qui vive?

Voix dans l'ombre.
Ad augusta.

DEUXIÈME CONJURÉ
Per angusta.
Entrent de nouveaux conjurés. — Bruit de pas.

PREMIER CONJURÉ, *au troisième.*
Regarde;

Il vient encor quelqu'un.

TROISIÈME CONJURÉ
Qui vive?

Voix dans l'ombre.
Ad augusta.

TROISIÈME CONJURÉ

Per angusta.
Entrent de nouveaux conjurés, qui échangent des signes de
mains avec tous les autres.

PREMIER CONJURÉ
C'est bien. Nous voilà tous. — Gotha,
1605 Fais le rapport. — Amis, l'ombre attend la lumière.
Tous les conjurés s'asseyent en demi-cercle sur des tom-
beaux. Le premier conjuré passe tour à tour devant tous,
et chacun allume à sa torche une cire qu'il tient à la main.
Puis le premier conjuré va s'asseoir en silence sur une
tombe au centre du cercle et plus haute que les autres.

LE DUC DE GOTHA, *se levant.*
Amis, Charles d'Espagne, étranger par sa mère [1],
Prétend au saint-empire.

PREMIER CONJURÉ
Il aura le tombeau.

LE DUC DE GOTHA
Il jette sa torche à terre et l'écrase du pied.
Qu'il en soit de son front comme de ce flambeau !

TOUS

Que ce soit !

PREMIER CONJURÉ
Mort à lui !

LE DUC DE GOTHA
Qu'il meure !

TOUS

Qu'on l'immole !

DON JUAN DE HARO
1610 Son père est allemand [2].

LE DUC DE LUTZELBOURG
Sa mère est espagnole.

LE DUC DE GOTHA
Il n'est plus espagnol et n'est pas allemand.
Mort !

UN CONJURÉ
Si les électeurs allaient en ce moment
Le nommer empereur ?

1. Jeanne la Folle (1479-1555), la mère de don Carlos, était
espagnole. Cela suffit pour le duc de Gotha à faire du roi un étranger à l'Allemagne.
2. Philippe le Beau, père de don Carlos, était archiduc
d'Autriche.

PREMIER CONJURÉ
Eux ! lui ! jamais !

DON GIL TELLEZ GIRON
Qu'importe !
Amis ! frappons la tête et la couronne est morte !

PREMIER CONJURÉ
1615 S'il a le saint-empire, il devient, quel qu'il soit,
Très auguste[1], et Dieu seul peut le toucher du doigt !

LE DUC DE GOTHA
Le plus sûr, c'est qu'avant d'être auguste, il expire.

PREMIER CONJURÉ
On ne l'élira point !

TOUS
Il n'aura pas l'empire !

PREMIER CONJURÉ
Combien faut-il de bras pour le mettre au linceul ?

TOUS
1620 Un seul.

PREMIER CONJURÉ
Combien faut-il de coups au cœur ?

TOUS
Un seul.

PREMIER CONJURÉ
Qui frappera ?

TOUS
Nous tous.

---

1. Sacrée, inviolable. Octave, le premier empereur romain, reçut
ainsi le nom d'« Auguste ».

PREMIER CONJURÉ
                    La victime est un traître,
Ils font un empereur ; nous, faisons un grand-prêtre[1].
Tirons au sort.
Tous les conjurés écrivent leurs noms sur leurs tablettes,
déchirent la feuille, la roulent, et vont l'un après l'autre la
jeter dans l'urne d'un tombeau. — Puis le premier conjuré
dit :
                    Prions.
Tous s'agenouillent. Le premier conjuré se lève et dit :
                    Que l'élu croie en Dieu,
Frappe comme un Romain, meure comme un Hébreu[2] !
1625 Il faut qu'il brave roue et tenailles mordantes,
      Qu'il chante aux chevalets, rie aux lampes ardentes[3],
      Enfin que pour tuer et mourir, résigné,
      Il fasse tout !
Il tire un des parchemins de l'urne.

TOUS
          Quel nom ?
Premier conjuré, à haute voix.
                    Hernani.

HERNANI, *sortant de la foule des conjurés.*
                            J'ai gagné !
— Je te tiens, toi que j'ai si longtemps poursuivie,
1630 Vengeance !

DON RUY GOMEZ, *perçant la foule et prenant Hernani à*
part.
          Oh ! cède-moi ce coup !

HERNANI
                            Non, sur ma vie !
Oh ! ne m'enviez pas ma fortune, seigneur !
C'est la première fois qu'il m'arrive bonheur.

1. Le meurtre de Don Carlos est conçu par les conjurés comme
un sacrifice religieux.
2. Avec le courage du Romain et l'abnégation de l'Hébreu.
3. La roue, les tenailles, les chevalets et les lampes sont ici des
instruments de torture utilisés pour obtenir les aveux d'un accusé.

DON RUY GOMEZ

Tu n'as rien. Eh bien, tout, fiefs[1], châteaux, vasselages[2],
Cent mille paysans dans mes trois cents villages,
1635 Pour ce coup à frapper, je te les donne, ami !

HERNANI

Non !

LE DUC DE GOTHA

Ton bras porterait un coup moins affermi,
Vieillard !

DON RUY GOMEZ

Arrière, vous ! sinon le bras, j'ai l'âme.
Aux rouilles du fourreau ne jugez point la lame.
                                                        A Hernani.
Tu m'appartiens !

HERNANI

Ma vie à vous, la sienne à moi.

DON RUY GOMEZ, *tirant le cor de sa ceinture.*
1640 Eh bien, écoute, ami. Je te rends ce cor[3].

HERNANI, *ébranlé.*
                                                        Quoi !
La vie ! — Eh ! que m'importe ! Ah ! je tiens ma ven-
                                                        [geance !
Avec Dieu dans ceci je suis d'intelligence[4].
J'ai mon père à venger... peut-être plus encor[5] !
— Elle, me la rends-tu ?

---

1. Domaines concédés par un seigneur (ou un roi) à ses vassaux.
2. Obligation du vassal envers son suzerain. Don Ruy offre ses
vassaux eux-mêmes.
3. Voir les vers 1291-1296.
4. Je suis en accord avec Dieu dont je suis le plan.
5. Allusion à Doña Sol aux mains de don Carlos (Acte III,
scène 6).

DON RUY GOMEZ
Jamais! Je rends ce cor.

HERNANI
645 Non!

DON RUY GOMEZ
Réfléchis, enfant.

HERNANI
Duc, laisse-moi ma proie.

DON RUY GOMEZ
Eh bien! maudit sois-tu de m'ôter cette joie!
Il remet le cor à sa ceinture.

PREMIER CONJURÉ, *à Hernani.*
Frère! avant qu'on ait pu l'élire, il serait bien
D'attendre dès ce soir Carlos...

HERNANI
Ne craignez rien!
Je sais comment on pousse un homme dans la tombe.

PREMIER CONJURÉ
650 Que toute trahison sur le traître retombe,
Et Dieu soit avec vous! — Nous, comtes et barons,
S'il périt sans tuer, continuons! Jurons
De frapper tour à tour et sans nous y soustraire
Carlos qui doit mourir.
Tous, tirant leurs épées.
Jurons!

LE DUC DE GOTHA, *au premier conjuré.*
Sur quoi, mon frère?

DON RUY GOMEZ
retourne son épée, la prend par la pointe et l'élève au-dessus de sa tête.
655 Jurons sur cette croix!

Tous, élevant leurs épées.

Qu'il meure impénitent[1]!

*On entend un coup de canon éloigné. Tous s'arrêtent en
silence. — La porte du tombeau s'entrouvre. Don Carlos
paraît sur le seuil. Pâle, il écoute. — Un second coup. —
Un troisième coup. — Il ouvre tout à fait la porte du tombeau, mais sans faire un pas, debout et immobile sur le
seuil.*

SCÈNE IV

LES CONJURÉS, DON CARLOS, *puis* DON RICARDO,
SEIGNEURS, GARDES; LE ROI DE BOHÊME; LE DUC DE
BAVIÈRE; *puis* DOÑA SOL

DON CARLOS

Messieurs, allez plus loin! l'empereur vous entend.
*Tous les flambeaux s'éteignent à la fois. — Profond
silence. — Il fait un pas dans les ténèbres, si épaisses
qu'on y distingue à peine les conjurés muets et immobiles.*
Silence et nuit! l'essaim[2] en sort et s'y replonge.
Croyez-vous que ceci va passer comme un songe,
Et que je vous prendrai, n'ayant plus vos flambeaux,
1660 Pour des hommes de pierre, assis sur leurs tombeaux?
Vous parliez tout à l'heure assez haut, mes statues!
Allons! relevez donc vos têtes abattues,
Car voici Charles Quint! Frappez, faites un pas!
Voyons, oserez-vous? — Non, vous n'oserez pas.
1665 Vos torches flamboyaient sanglantes sous ces voûtes.
Mon souffle a donc suffi pour les éteindre toutes!
Mais voyez, et tournez vos yeux irrésolus,
Si j'en éteins beaucoup, j'en allume encor plus.
Il frappe de la clef de fer sur la porte de bronze du tombeau.

---

1. Sans confession et sans absolution de ses fautes.
2. Don Carlos désigne par cette image la dangereuse assemblée
des conjurés.

A ce bruit, toutes les profondeurs du souterrain se rem-
plissent de soldats portant des torches et des pertuisanes. A
leur tête, le duc d'Alcala, le marquis d'Almuñan.
Accourez, mes faucons ! j'ai le nid, j'ai la proie !

Aux conjurés.

1670 J'illumine à mon tour. Le sépulcre flamboie,
Regardez !

Aux soldats.

Venez tous, car le crime est flagrant.

HERNANI, *regardant les soldats.*

A la bonne heure ! — Seul, il me semblait trop grand.
C'est bien. J'ai cru d'abord que c'était Charlemagne.
Ce n'est que Charles Quint.

DON CARLOS, *au duc d'Alcala.*

Connétable[1] d'Espagne !
Au marquis d'Almuñan.

1675 Amiral[2] de Castille, ici ! — Désarmez-les.
On entoure les conjurés et on les désarme.

DON RICARDO. *accourant et s'inclinant jusqu'à terre.*

Majesté !

DON CARLOS

Je te fais alcade du palais[3].

DON RICARDO, *s'inclinant de nouveau.*

Deux électeurs, au nom de la chambre dorée[4],
Viennent complimenter la majesté sacrée.

DON CARLOS

Qu'ils entrent.
Bas à Ricardo.
Doña Sol[5].

---

1. Chef suprême de l'armée.
2. Commandant en chef des forces navales.
3. Les alcades de cour étaient les hauts magistrats de la justice
espagnole.
4. La Diète, l'assemblée des grands électeurs en manteau doré.
5. Voir le vers 1388.

Ricardo salue et sort. Entrent, avec flambeaux et fanfares,
le roi de Bohême et le duc de Bavière, tout en drap d'or,
couronnes en tête. — Nombreux cortège de seigneurs alle-
mands, portant la bannière de l'empire, l'aigle à deux
têtes, avec l'écusson d'Espagne au milieu. — Les soldats
s'écartent, se rangent en haie, et font passage aux deux
électeurs, jusqu'à l'empereur, qu'ils saluent profondément,
et qui leur rend leur salut en soulevant son chapeau.

LE DUC DE BAVIÈRE

                                    Charles! roi des Romains,
1680 Majesté très sacrée, empereur! dans vos mains
Le monde est maintenant, car vous avez l'empire.
Il est à vous, ce trône où tout monarque aspire!
Frédéric, duc de Saxe, y fut d'abord élu,
Mais, vous jugeant plus digne, il n'en a pas voulu[1].
1685 Venez donc recevoir la couronne et le globe.
Le Saint-Empire, ô roi, vous revêt de la robe,
Il vous arme du glaive[2], et vous êtes très grand.

DON CARLOS

J'irai remercier le collège en rentrant.
Allez, messieurs. Merci, mon frère de Bohême,
1690 Mon cousin de Bavière. Allez. J'irai moi-même.

LE ROI DE BOHÊME

Charles, du nom d'amis nos aïeux se nommaient.
Mon père aimait ton père, et leurs pères s'aimaient.
Charles, si jeune en butte aux fortunes contraires,
Dis, veux-tu que je sois ton frère entre tes frères?
1695 Je t'ai vu tout enfant, et ne puis oublier...

DON CARLOS, *l'interrompant.*

Roi de Bohême! eh bien, vous êtes familier!
Il lui présente sa main à baiser, ainsi qu'au duc de
Bavière, puis congédie les deux électeurs, qui le saluent
profondément.

---

1. Le fait est historique : Frédéric de Saxe refusa la couronne et
soutint l'élection de Charles Quint.
2. Les quatre emblèmes du pouvoir impérial étaient la couronne, le globe doré surmonté d'une petite croix, la robe et le glaive.

Allez!

> *Sortent les deux électeurs avec leur cortège.*

LA FOULE

Vivat!

DON CARLOS, *à part.*
J'y suis! et tout m'a fait passage!
Empereur! — Au refus de Frédéric-le-Sage!

> *Entre doña Sol, conduite par Ricardo.*

DOÑA SOL

Des soldats! l'empereur! Ô ciel! coup imprévu!
1700 Hernani!

HERNANI

Doña Sol!

DON RUY GOMEZ, *à côté d'Hernani, à part.*
Elle ne m'a point vu!

> *Doña Sol court à Hernani. Il la fait reculer d'un regard de défiance.*

HERNANI

Madame!...

DOÑA SOL, *tirant le poignard de son sein.*
J'ai toujours son poignard!

HERNANI, *lui tendant les bras.*
Mon amie!

DON CARLOS

Silence, tous!

> *Aux conjurés.*
Votre âme est-elle raffermie?
Il convient que je donne au monde une leçon.
Lara le Castillan et Gotha le Saxon,
1705 Vous tous! que venait-on faire ici? parlez.

HERNANI, *faisant un pas.*

Sire,
La chose est toute simple, et l'on peut vous la dire.
Nous gravions la sentence au mur de Balthazar[1].

Il tire un poignard et l'agite.

Nous rendions à César ce qu'on doit à César[2].

DON CARLOS

Bien!

A don Ruy Gomez.

Vous traître, Silva!

DON RUY GOMEZ

Lequel de nous deux, sire?

HERNANI, *se retournant vers les conjurés.*
1710 Nos têtes et l'empire! il a ce qu'il désire.

A l'empereur.

Le bleu manteau des rois pouvait gêner vos pas.
La pourpre vous va mieux. Le sang n'y paraît pas.

DON CARLOS, *à don Ruy Gomez.*
Mon cousin de Silva, c'est une félonie
A faire du blason rayer ta baronnie[3]!
1715 C'est haute trahison, don Ruy, songes-y bien.

DON RUY GOMEZ
Les rois Rodrigue font les comtes Julien[4].

---

1. Allusion biblique (Daniel, V) : au cours d'un festin où le roi de Babylone, Balthazar, souillait des vases sacrés volés dans le Temple de Jérusalem, une mystérieuse main d'homme écrivit sur le mur de son palais les mots « Mané », « Thécel », « Pharès » (compté, pesé, divisé). Seul le prophète Daniel put interpréter ces mots qui annonçaient la chute du royaume.
2. Citation des paroles du Christ aux pharisiens : « Rendez donc à César ce qui est à César. » (Matthieu, XXII, 15-22.) Ce qu'Hernani doit à César-don Carlos, c'est sa vengeance.
3. La « haute trahison » de don Ruy Gomez pourrait lui valoir la déchéance de ses titres.
4. Le roi wisigoth Rodrigue ayant insulté la fille du comte Julien, ce dernier fit alliance avec les Arabes qui battirent et tuèrent le roi en 711.

DON CARLOS, *au duc d'Alcala.*
Ne prenez que ce qui peut être duc ou comte.
Le reste!...
Don Ruy Gomez, le duc de Lutzelbourg, le duc de Gotha,
don Juan de Haro, don Guzman de Lara, don Tellez
Giron, le baron de Hohenbourg, se séparent du groupe des
conjurés, parmi lesquels est resté Hernani. — Le duc
d'Alcala les entoure étroitement de gardes.

DOÑA SOL, *à part.*
Il est sauvé!

HERNANI, *sortant du groupe des conjurés.*
Je prétends qu'on me compte!
A don Carlos.
Puisqu'il s'agit de hache ici, que Hernani,
1720 Pâtre obscur, sous tes pieds passerait impuni,
Puisque son front n'est plus au niveau de ton glaive,
Puisqu'il faut être grand pour mourir, je me lève.
Dieu qui donne le sceptre et qui te le donna
M'a fait duc de Segorbe et duc de Cardona,
1725 Marquis de Monroy, comte Albatera, vicomte
De Gor[1], seigneur de lieux dont j'ignore le compte.
Je suis Jean d'Aragon[2], grand-maître d'Avis[3], né
Dans l'exil, fils proscrit d'un père assassiné
Par sentence du tien, roi Carlos de Castille!
1730 Le meurtre est entre nous affaire de famille.
Vous avez l'échafaud, nous avons le poignard.
Donc, le ciel m'a fait duc, et l'exil montagnard.
Mais puisque j'ai sans fruit aiguisé mon épée
Sur les monts et dans l'eau des torrents retrempée,
Il met son chapeau. Aux autres conjurés.
1735 Couvrons-nous, grands d'Espagne!

---

1. Pour former ces titres, Hugo s'est inspiré du nom de plusieurs villes espagnoles : Ségorbe dans la province de Valence, Cardona en Catalogne, Monroy en Estramadoure, Albatera dans la province d'Alicante et Gor en Andalousie.
2. Ce duc d'Aragon est une invention de V. Hugo.
3. Ordre de chevalerie de saint Benoît d'Avis fondé au xve siècle dans cette ville du Portugal.

Tous les Espagnols se couvrent. A don Carlos.

Oui, nos têtes, ô roi,

Ont le droit de tomber couvertes devant toi !

Aux prisonniers.

— Silva, Haro, Lara, gens de titre et de race,

Place à Jean d'Aragon ! ducs et comtes, ma place !

Aux courtisans et aux gardes.

Je suis Jean d'Aragon, roi, bourreaux et valets !

1740 Et si vos échafauds sont petits, changez-les !

Il vient se joindre au groupe des seigneurs prisonniers.

DOÑA SOL

Ciel !

DON CARLOS

En effet, j'avais oublié cette histoire.

HERNANI

Celui dont le flanc saigne a meilleure mémoire.

L'affront, que l'offenseur oublie en insensé,

Vit, et toujours remue au cœur de l'offensé.

DON CARLOS

1745 Donc je suis, c'est un titre à n'en point vouloir d'autres,

Fils de pères qui font choir la tête des vôtres !

DOÑA SOL, *se jetant à genoux devant l'empereur.*

Sire, pardon ! pitié ! Sire, soyez clément !

Ou frappez-nous tous deux, car il est mon amant[1],

Mon époux ! En lui seul je respire. Oh ! je tremble.

1750 Sire, ayez la pitié de nous tuer ensemble !

Majesté ! je me traîne à vos sacrés genoux !

Je l'aime ! Il est à moi, comme l'empire à vous !

Oh ! grâce !

---

1. Au sens classique, l'homme que j'aime et qui m'aime.

Don Carlos la regarde immobile.
Quel penser sinistre vous absorbe?

DON CARLOS

Allons! relevez-vous, duchesse de Segorbe,
1755 Comtesse Albatera, marquise de Monroy...

A Hernani.

— Tes autres noms, don Juan?

HERNANI

Qui parle ainsi? le roi?

DON CARLOS

Non, l'empereur.

DOÑA SOL, *se relevant.*
Grand Dieu!

DON CARLOS, *la montrant à Hernani.*
Duc, voilà ton épouse.

HERNANI, *les yeux au ciel et doña Sol dans ses bras.*
Juste Dieu!

DON CARLOS, *à don Ruy Gomez.*
Mon cousin, ta noblesse est jalouse,
Je sais. Mais Aragon peut épouser Silva.

DON RUY GOMEZ, *sombre.*
1760 Ce n'est pas ma noblesse[1].

HERNANI, *regardant doña Sol avec amour et la tenant*
embrassée.
Oh! ma haine s'en va!
Il jette son poignard.

DON RUY GOMEZ, *à part les regardant, tous deux.*
Eclaterai-je? oh! non! Fol amour! douleur folle!
Tu leur ferais pitié, vieille tête espagnole!
Vieillard, brûle sans flamme, aime et souffre en secret,

---

1. Ce n'est pas ma noblesse qui est jalouse.

Laisse ronger ton cœur. Pas un cri. — L'on rirait!

DOÑA SOL, dans les bras d'Hernani.

1765 Ô mon duc!

HERNANI
Je n'ai plus que de l'amour dans l'âme.

DOÑA SOL

Ô bonheur!

DON CARLOS, à part, la main dans sa poitrine.
Éteins-toi, cœur jeune et plein de flamme!

Laisse régner l'esprit, que longtemps tu troublas.
Tes amours désormais, tes maîtresses, hélas!
C'est l'Allemagne, c'est la Flandre, c'est l'Espagne.
L'œil fixé sur sa bannière.

1770 L'empereur est pareil à l'aigle[1], sa compagne.
A la place du cœur il n'a qu'un écusson.

HERNANI

Ah! vous êtes César!

DON CARLOS, à Hernani.
De ta noble maison,

Don Juan, ton cœur est digne.
Montrant doña Sol.

— A genoux, duc!
Hernani s'agenouille. Don Carlos détache sa toison d'or et
la lui passe au cou.
Reçois ce collier.

Don Carlos tire son épée et l'en frappe trois fois sur
l'épaule.
Sois fidèle!

1775 Par saint Etienne[2], duc, je te fais chevalier.
Il le relève et l'embrasse.

Mais tu l'as, le plus doux et le plus beau collier,

---

1. L'aigle (au féminin) à deux têtes est le symbole de l'empire.
2. Saint patron de la Hongrie, protecteur des chevaliers.

Celui que je n'ai pas, qui manque au rang suprême,
Les deux bras d'une femme aimée et qui vous aime!
Ah! tu vas être heureux; moi, je suis empereur.

Aux conjurés.

1780 Je ne sais plus vos noms, messieurs. Haine et fureur,
Je veux tout oublier. Allez, je vous pardonne!
C'est la leçon qu'au monde il convient que je donne.
Ce n'est pas vainement qu'à Charles premier, roi,
L'empereur Charles Quint succède[1], et qu'une loi
1785 Change, aux yeux de l'Europe, orpheline éplorée,
L'altesse catholique en majesté sacrée[2].

Les conjurés tombent à genoux.

LES CONJURÉS

Gloire à Carlos!

DON RUY GOMEZ, *à don Carlos.*
Moi seul je reste condamné.

DON CARLOS

Et moi!

DON RUY GOMEZ, *à part.*
Mais, comme lui, je n'ai point pardonné!

HERNANI

Qui donc nous change tous ainsi?

TOUS, *soldats, conjurés, seigneurs.*
Vive Allemagne!
1790 Honneur à Charles Quint!

DON CARLOS, *se tournant vers le tombeau.*
Honneur à Charlemagne!
Laissez-nous seuls tous deux.
Tous sortent.

---

1. Don Carlos (Charles Ier d'Espagne) devient empereur sous le
nom de Charles Quint (Charles V).
2. Titres donnés au roi d'Espagne et à l'empereur.

SCÈNE V

DON CARLOS, *seul.*
                    Il s'incline devant le tombeau.
                            Es-tu content de moi?
Ai-je bien dépouillé les misères du roi[1],
Charlemagne? Empereur, suis-je bien un autre homme?
Puis-je accoupler mon casque à la mitre de Rome[2]?
1795 Aux fortunes du monde ai-je droit de toucher?
Ai-je un pied sûr et ferme, et qui puisse marcher
Dans ce sentier, semé des ruines vandales[3],
Que tu nous as battu de tes larges sandales?
Ai-je bien à ta flamme allumé mon flambeau?
1800 Ai-je compris la voix qui parle en ton tombeau?
— Ah! j'étais seul, perdu, seul devant un empire,
Tout un monde qui hurle, et menace, et conspire,
Le Danois[4] à punir, le Saint-Père à payer[5],
Venise[6], Soliman[7], Luther, François premier,
1805 Mille poignards jaloux luisant déjà dans l'ombre,
Des pièges, des écueils, des ennemis sans nombre,
Vingt peuples dont un seul ferait peur à vingt rois,
Tout pressé, tout pressant, tout à faire à la fois,
Je t'ai crié : — Par où faut-il que je commence?
1810 Et tu m'as répondu : — Mon fils, par la clémence!

---

1. Me suis-je bien débarrassé des faiblesses du roi?
2. Le chef du Saint Empire devait rechercher l'alliance avec le Pape.
3. Les ruines laissées par les envahisseurs barbares.
4. Christian II le Cruel (1481-1559) annexa la Suède en 1520.
5. Voir les vers 314 à 317.
6. La « République Sérénissime » de Venise, alors au faîte de sa puissance, dominait la Méditerranée orientale.
7. Soliman le Magnifique devint sultan des Turcs en 1520 et menaça l'empire de Charles Quint en s'emparant de la Hongrie.

ACTE CINQUIÈME

LA NOCE

SARAGOSSE

Une terrasse du palais d'Aragon. Au fond, la rampe d'un escalier qui s'enfonce dans le jardin. A droite et à gauche, deux portes donnant sur une terrasse, que ferme une balustrade surmontée de deux rangs d'arcades moresques[1], au-dessus et au travers desquelles on voit les jardins du palais, les jets d'eau dans l'ombre, les bosquets avec les lumières qui s'y promènent, et au fond les faîtes gothiques et arabes du palais illuminé. Il est nuit. On entend des fanfares éloignées. Des masques, des dominos[2], épars, isolés, ou groupés, traversent çà et là la terrasse. Sur le devant, un groupe de jeunes seigneurs, les masques à la main, riant et causant à grand bruit.

---

1. Ces arcades moresques et les jets d'eau du jardin font penser à un palais arabe. L'occupation par les Arabes de l'Espagne, du viiie au xve siècle, a laissé de nombreuses traces architecturales qui se sont mêlées à l'art chrétien comme en témoignent les « faîtes gothiques et arabes » du palais d'Aragon.
2. Costumes de bal masqué formés d'une ample robe avec un capuchon. Ici, par métonymie, porteurs de dominos.

SCÈNE PREMIÈRE

DON SANCHO SANCHEZ DE ZUNIGA, *comte de Monterey*,
DON MATIAS CENTURION, *marquis d'Almuñan*, DON
RICARDO DE ROXAS, *comte de Casapalma*, DON
FRANCISCO DE SOTOMAYOR, *comte de Velalcazar*, DON
GARCI SUAREZ DE CARBAJAL, *comte de Peñalver*.

DON GARCI

Ma foi, vive la joie et vive l'épousée!

DON MATIAS, *regardant au balcon*.

Saragosse ce soir se met à la croisée[1].

DON GARCI

Et fait bien! on ne vit jamais noce aux flambeaux
Plus gaie, et nuit plus douce, et mariés plus beaux!

DON MATIAS

1815 Bon empereur!

DON SANCHO

                   Marquis, certain soir qu'à la brune
Nous allions avec lui tous deux cherchant fortune[2],
Qui nous eût dit qu'un jour tout finirait ainsi?

DON RICARDO, *l'interrompant*.

J'en étais.

                                          Aux autres.

             Ecoutez l'histoire que voici:
Trois galants, un bandit que l'échafaud réclame,
1820 Puis un duc, puis un roi, d'un même cœur de femme
Font le siège à la fois. — L'assaut donné, qui l'a?
C'est le bandit.

DON FRANCISCO

                 Mais rien que de simple en cela.

1. Fenêtre.
2. Voir la scène 1 de l'Acte II.

L'amour et la fortune, ailleurs comme en Espagne,
Sont jeux de dés pipés[1]. C'est le voleur qui gagne!

DON RICARDO

825 Moi, j'ai fait ma fortune à voir faire l'amour.
D'abord comte, puis grand, puis alcade de cour[2],
J'ai fort bien employé mon temps, sans qu'on s'en doute.

DON SANCHO

Le secret de monsieur, c'est d'être sur la route
Du roi...

DON RICARDO
         Faisant valoir mes droits, mes actions.

DON GARCI

830 Vous avez profité de ses distractions.

DON MATIAS

Que devient le vieux duc? Fait-il clouer sa bière?

DON SANCHO

Marquis, ne riez pas! car c'est une âme fière.
Il aimait doña Sol, ce vieillard. Soixante ans.
On fait ses cheveux gris, un jour les a faits blancs.

DON GARCI

835 Il n'a pas reparu, dit-on, à Saragosse?

DON SANCHO

Vouliez-vous pas qu'il mît son cercueil de la noce?

DON FRANCISCO

Et que fait l'empereur?

DON SANCHO
                        L'empereur aujourd'hui
Est triste. Le Luther lui donne de l'ennui.

1. Truqués.
2. Voir les vers 442, 1372 et 1676.

DON RICARDO

Ce Luther, beau sujet de soucis et d'alarmes.
1840 Que j'en finirais vite avec quatre gens d'armes!

DON MATIAS

Le Soliman aussi lui fait ombre.

DON GARCI

Ah! Luther,
Soliman, Neptunus [1], le diable et Jupiter,
Que me font ces gens-là? Les femmes sont jolies,
La mascarade est rare, et j'ai dit cent folies!

DON SANCHO

1845 Voilà l'essentiel.

DON RICARDO

Garci n'a point tort. Moi,
Je ne suis plus le même un jour de fête, et croi [2]
Qu'un masque que je mets me fait une autre tête,
En vérité!

DON SANCHO, *bas à Matias.*
Que n'est-ce alors tous les jours fête!
Don Francisco, montrant la porte à droite.
Messeigneurs, n'est-ce pas la chambre des époux?
Don Garci, avec un signe de tête.
1850 Nous les verrons venir dans l'instant.

DON FRANCISCO

Croyez-vous?

DON GARCI

Hé! sans doute!

DON FRANCISCO
Tant mieux. L'épousée est si belle!

---

1. Le dieu de la mer pour les Romains.
2. Licence orthographique pour la rime.

DON RICARDO

Que l'empereur est bon! — Hernani, ce rebelle
Avoir la toison d'or! marié! pardonné!
Loin de là[1], s'il m'eût cru, l'empereur eût donné
1855 Lit de pierre au galant, lit de plume à la dame.

DON SANCHO, *bas à don Matias.*

Que je le crèverais volontiers de ma lame!
Faux seigneur de clinquant[2] recousu de gros fil!
Pourpoint de comte, empli de conseils d'alguazil[3]!

DON RICARDO, *s'approchant.*

Que dites-vous là?

DON MATIAS, *bas à don Sancho.*

Comte, ici pas de querelle!

A don Ricardo.

1860 Il me chante un sonnet de Pétrarque à sa belle[4].

DON GARCI

Avez-vous remarqué, messieurs, parmi les fleurs,
Les femmes, les habits de toutes les couleurs,
Ce spectre, qui, debout contre une balustrade,
De son domino noir tachait la mascarade?

DON RICARDO

1865 Oui, pardieu!

DON GARCI

Qu'est-ce donc?

DON RICARDO

Mais, sa taille, son air...
C'est don Prancasio, général de la mer[5].

---

1. Au lieu de faire cela.
2. D'une matière brillante mais sans valeur, vulgaire.
3. Agent de police. Le mot est ici péjoratif.
4. Célèbre poète italien, Pétrarque (1304-1374) a composé des sonnets ou « canzoni » en l'honneur de Laure de Noves.
5. Amiral.

DON FRANCISCO

Non.

DON GARCI

Il n'a pas quitté son masque.

DON FRANCISCO

Il n'avait garde.
C'est le duc de Soma qui veut qu'on le regarde.
Rien de plus.

DON RICARDO

Non. Le duc m'a parlé.

DON GARCI

Qu'est-ce alors
1870 Que ce masque? — Tenez, le voilà.
Entre un domino noir qui traverse lentement la terrasse
au fond. Tous se retournent et le suivent des yeux, sans
qu'il paraisse y prendre garde.

DON SANCHO

Si les morts
Marchent, voici leur pas.

DON GARCI, *courant au domino noir.*
Beau masque!...
Le domino noir se retourne et s'arrête. Garci recule.
Sur mon âme,
Messeigneurs, dans ses yeux j'ai vu luire une flamme!

DON SANCHO

Si c'est le diable, il trouve à qui parler.
Il va au domino noir, toujours immobile.
Mauvais[1]!
Nous viens-tu de l'enfer?

LE MASQUE

Je n'en viens pas, j'y vais.

1. Nom donné au diable.

Il reprend sa marche et disparaît par la rampe de l'esca-
lier. Tous le suivent des yeux avec une sorte d'effroi.

DON MATIAS

1875 La voix est sépulcrale autant qu'on le peut dire.

DON GARCI

Baste! ce qui fait peur ailleurs, au bal fait rire.

DON SANCHO

Quelque mauvais plaisant!

DON GARCI
                            Ou si c'est Lucifer
Qui vient nous voir danser, en attendant l'enfer,
Dansons!

DON SANCHO

C'est à coup sûr quelque bouffonnerie.

DON MATIAS

1880 Nous le saurons demain.

DON SANCHO, *à don Matias.*
                            Regardez, je vous prie.
Que devient-il?

DON MATIAS, *à la balustrade de la terrasse.*
                  Il a descendu l'escalier.
Plus rien.

DON SANCHO

C'est un plaisant drôle!

                                            Rêvant.
C'est singulier.

DON GARCI, *à une dame qui passe.*
            Marquise, dansons-nous celle-ci?
            Il la salue et lui présente la main.

LA DAME
                            Mon cher comte,
Vous savez, avec vous, que mon mari les compte.

DON GARCI

1885 Raison de plus. Cela l'amuse apparemment.
C'est son plaisir. Il compte, et nous dansons.
                    La dame lui donne la main, et ils sortent.

DON SANCHO, *pensif.*

                                        Vraiment,
C'est singulier!

DON MATIAS

            Voici les mariés. Silence!
*Entrent Hernani et doña Sol se donnant la main. Doña
Sol en magnifique habit de mariée; Hernani tout en
velours noir, avec la toison d'or au cou. Derrière eux,
foule de masques, de dames et de seigneurs qui leur font
cortège. Deux hallebardiers*[1] *en riche livrée les suivent, et
quatre pages les précèdent. Tout le monde se range et
s'incline sur leur passage. Fanfare.*

SCÈNE II

LES MÊMES, HERNANI, DOÑA SOL, SUITE.

HERNANI, *saluant.*

Chers amis!

DON RICARDO, *allant à lui et s'inclinant.*
            Ton bonheur fait le nôtre, excellence!

DON FRANCISCO, *contemplant doña Sol.*
Saint-Jacques monseigneur! c'est Vénus[2] qu'il conduit!

DON MATIAS

1890 D'honneur, on est heureux un pareil jour la nuit!

---

1. Hommes d'armes porteurs de hallebardes, longues hampes
terminées par un fer pointu d'un côté et tranchant de l'autre.
2. Déesse de l'amour et de la beauté.

DON FRANCISCO, *montrant à don Matias la chambre nuptiale.*
Qu'il va se passer là de gracieuses choses!
Etre fée, et tout voir, feux éteints, portes closes,
Serait-ce pas charmant?

DON SANCHO, *à don Matias.*
                              Il est tard. Partons-nous?
*Tous vont saluer les mariés et sortent, les uns par la porte,
les autres par l'escalier du fond.*

HERNANI, *les reconduisant.*
Dieu vous garde!

DON SANCHO, *resté le dernier, lui serre la main.*
                              Soyez heureux!
*Il sort. Hernani et doña Sol restent seuls. Bruit de pas et
de voix qui s'éloignent, puis cessent tout à fait. Pendant
tout le commencement de la scène qui suit, les fanfares et
les lumières éloignées s'éteignent par degrés. La nuit et le
silence reviennent peu à peu.*

SCÈNE III

HERNANI, DOÑA SOL

DOÑA SOL
                              Ils s'en vont tous,
1895 Enfin!

HERNANI, *cherchant à l'attirer dans ses bras.*
Cher amour!

DOÑA SOL, *rougissant et reculant.*
                      C'est... qu'il est tard, ce me semble.

HERNANI
Ange! il est toujours tard pour être seuls ensemble.

DOÑA SOL
Ce bruit me fatiguait. N'est-ce pas, cher seigneur,
Que toute cette joie étourdit le bonheur?

HERNANI

Tu dis vrai. Le bonheur, amie, est chose grave.
1900 Il veut des cœurs de bronze et lentement s'y grave.
Le plaisir l'effarouche en lui jetant des fleurs.
Son sourire est moins près du rire que des pleurs.

DOÑA SOL

Dans vos yeux, ce sourire est le jour.
Hernani cherche à l'entraîner vers la porte. Elle rougit.
                                        Tout à l'heure.

HERNANI

Oh! je suis ton esclave! Oui, demeure, demeure!
1905 Fais ce que tu voudras. Je ne demande rien.
Tu sais ce que tu fais! ce que tu fais est bien!
Je rirai si tu veux, je chanterai. Mon âme
Brûle... Eh! dis au volcan qu'il étouffe sa flamme,
Le volcan fermera ses gouffres entrouverts,
1910 Et n'aura sur ses flancs que fleurs et gazons verts.
Car le géant est pris, le Vésuve[1] est esclave!
Et que t'importe, à toi, son cœur rongé de lave?
Tu veux des fleurs? c'est bien! Il faut que de son mieux
Le volcan tout brûlé s'épanouisse aux yeux!

DOÑA SOL

1915 Oh! que vous êtes bon pour une pauvre femme,
Hernani de mon cœur!

HERNANI

                    Quel est ce nom, madame?
Ah! ne me nomme plus de ce nom, par pitié!
Tu me fais souvenir que j'ai tout oublié!
Je sais qu'il existait autrefois, dans un rêve,
1920 Un Hernani, dont l'œil avait l'éclair du glaive,
Un homme de la nuit et des monts, un proscrit

---

1. Volcan situé près de Naples en Italie, pris ici comme symbole
de l'ardeur amoureuse.

Sur qui le mot vengeance était partout écrit,
Un malheureux traînant après lui l'anathème !
Mais je ne connais pas ce Hernani. — Moi, j'aime
1925 Les prés, les fleurs, les bois, le chant du rossignol.
Je suis Jean d'Aragon, mari de doña Sol !
Je suis heureux !

DOÑA SOL
Je suis heureuse !

HERNANI
                                        Que m'importe
Les haillons qu'en entrant j'ai laissés à la porte !
Voici que je reviens à mon palais en deuil.
1930 Un ange du Seigneur m'attendait sur le seuil.
J'entre, et remets debout les colonnes brisées,
Je rallume le feu, je rouvre les croisées,
Je fais arracher l'herbe au pavé de la cour,
Je ne suis plus que joie, enchantement, amour.
1935 Qu'on me rende mes tours, mes donjons, mes bastilles[1],
Mon panache[2], mon siège au conseil des Castilles[3], -
Vienne ma doña Sol rouge et le front baissé,
Qu'on nous laisse tous deux, et le reste est passé !
Je n'ai rien vu, rien dit, rien fait. Je recommence,
1940 J'efface tout, j'oublie ! Ou sagesse ou démence,
Je vous ai, je vous aime, et vous êtes mon bien !

DOÑA SOL, *examinant sa toison d'or.*
Que sur ce velours noir ce collier d'or fait bien !

HERNANI
Vous vîtes avant moi le roi mis de la sorte.

DOÑA SOL
Je n'ai pas remarqué. Tout autre, que m'importe !
1945 Puis, est-ce le velours ou le satin encor ?

---

1. Châteaux forts.
2. Plumes ornant une coiffure, un casque. Insigne de la
noblesse.
3. Le conseil du roi d'Espagne.

Non, mon duc, c'est ton cou qui sied au collier d'or.
Vous êtes noble et fier, monseigneur.

Il veut l'entraîner.

Tout à l'heure!
Un moment! — Vois-tu bien, c'est la joie! et je pleure!
Viens voir la belle nuit.

Elle va à la balustrade.

Mon duc, rien qu'un moment!
1950 Le temps de respirer et de voir seulement.
Tout s'est éteint, flambeaux et musique de fête.
Rien que la nuit et nous. Félicité parfaite!
Dis, ne le crois-tu pas? sur nous, tout en dormant,
La nature à demi veille amoureusement.
1955 Pas un nuage au ciel. Tout, comme nous, repose.
Viens, respire avec moi l'air embaumé de rose!
Regarde. Plus de feux, plus de bruit. Tout se tait.
La lune tout à l'heure à l'horizon montait;
Tandis que tu parlais, sa lumière qui tremble
1960 Et ta voix, toutes deux m'allaient au cœur ensemble,
Je me sentais joyeuse et calme, ô mon amant,
Et j'aurais bien voulu mourir en ce moment!

HERNANI

Ah! qui n'oublierait tout à cette voix céleste!
Ta parole est un chant où rien d'humain ne reste.
1965 Et comme un voyageur, sur un fleuve emporté,
Qui glisse sur les eaux par un beau soir d'été,
Et voit fuir sous ses yeux mille plaines fleuries,
Ma pensée entraînée erre en tes rêveries!

DOÑA SOL

Ce silence est trop noir, ce calme est trop profond.
1970 Dis, ne voudrais-tu pas voir une étoile au fond?
Ou qu'une voix des nuits, tendre et délicieuse,
S'élevant tout à coup, chantât?...

HERNANI, *souriant.*

Capricieuse!
Tout à l'heure on fuyait[1] la lumière et les chants!

---

1. Tu fuyais.

DOÑA SOL

Le bal! — Mais un oiseau qui chanterait aux champs!
1975 Un rossignol perdu dans l'ombre et dans la mousse,
Ou quelque flûte au loin!... Car la musique est douce,
Fait l'âme harmonieuse, et, comme un divin chœur,
Eveille mille voix qui chantent dans le cœur!
Ah! ce serait charmant!
       On entend le bruit lointain d'un cor dans l'ombre.
                     Dieu! je suis exaucée!

HERNANI, *tressaillant, à part.*

1980 Ah! malheureuse!

DOÑA SOL

              Un ange a compris ma pensée, —
Ton bon ange sans doute?

HERNANI, *amèrement.*

                     Oui, mon bon ange!
              Le cor recommence. — A part.
                            Encor!

DOÑA SOL, *souriant.*

Don Juan, je reconnais le son de votre cor[1]!

HERNANI

N'est-ce pas?

DOÑA SOL

              Seriez-vous dans cette sérénade
De moitié?

HERNANI

De moitié, tu l'as dit.

1. Dans une première version du drame, le signal convenu pour
l'enlèvement de Doña Sol (Acte I, scène 3) devait être une triple
sonnerie de cor. Voici pourquoi Doña Sol reconnaît le cor d'Hernani.

DOÑA SOL
Bal maussade!
1985 Oh! que j'aime bien mieux le cor au fond des bois[1]!
Et puis, c'est votre cor, c'est comme votre voix.
Le cor recommence.

HERNANI, *à part.*
Ah! le tigre est en bas qui hurle, et veut sa proie.

DOÑA SOL
Don Juan, cette harmonie emplit le cœur de joie.

HERNANI, *se levant terrible.*
Nommez-moi Hernani! nommez-moi Hernani!
1990 Avec ce nom fatal je n'en ai pas fini!

DOÑA SOL, *tremblante.*
Qu'avez-vous?

HERNANI
Le vieillard!

DOÑA SOL
Dieu! quels regards funèbres!
Qu'avez-vous?

HERNANI
Le vieillard, qui rit dans les ténèbres!
— Ne le voyez-vous pas?

DOÑA SOL
Où vous égarez-vous?
Qu'est-ce que ce vieillard?

HERNANI
Le vieillard!

1. Souvenir du vers de Vigny (« J'aime le son du cor, le soir au
fond des bois », dans « Le Cor », *Poèmes antiques et modernes*, 1826)
et hommage de Hugo au poète ami.

DOÑA SOL, *tombant à genoux.*

> A genoux

1995 Je t'en supplie, oh! dis, quel secret te déchire?
Qu'as-tu?

HERNANI

Je l'ai juré!

DOÑA SOL

Juré?

*Elle suit tous ses mouvements avec anxiété. Il s'arrête tout
à coup et passe la main sur son front.*

HERNANI, *à part.*

> Qu'allais-je dire?

Epargnons-la.

> *Haut.*

> Moi, rien. De quoi t'ai-je parlé?

DOÑA SOL

Vous avez dit...

HERNANI

Non. Non. J'avais l'esprit troublé...
Je souffre un peu, vois-tu. N'en prends pas d'épouvante.

DOÑA SOL

2000 Te faut-il quelque chose? ordonne à ta servante.

> *Le cor recommence.*

HERNANI, *à part.*

Il le veut! il le veut! Il a mon serment[1]!
Cherchant à sa ceinture sans épée et sans poignard.

> — Rien!

Ce devrait être fait[2]! — Ah!...

DOÑA SOL

> Tu souffres donc bien?

1. Voir les vers 1292-1296.
2. Je devrais déjà avoir mis fin à mes jours.

HERNANI

Une blessure ancienne, et qui semblait fermée,
Se rouvre...

À part.

Eloignons-la.

Haut.

Doña Sol, bien-aimée,

2005 Ecoute. — Ce coffret qu'en des jours — moins heureux —
Je portais avec moi...

DOÑA SOL

Je sais ce que tu veux.
Eh bien, qu'en veux-tu faire?

HERNANI

Un flacon qu'il renferme
Contient un élixir, qui pourra mettre un terme
Au mal que je ressens. — Va!

DOÑA SOL

J'y vais, mon seigneur.
Elle sort par la porte de la chambre nuptiale.

SCÈNE IV

HERNANI, *seul.*

2010 Voilà donc ce qu'il vient faire de mon bonheur!
Voici le doigt fatal qui luit sur la muraille[1]!
Oh! que la destinée amèrement me raille!
*Il tombe dans une profonde et convulsive rêverie, puis se
détourne brusquement.*
Hé bien?... — Mais tout se tait. Je n'entends rien venir.

1. Voir la note du vers 1707.

Si je m'étais trompé!...
Le masque en domino noir paraît au haut de la rampe.
Hernani s'arrête pétrifié.

SCÈNE V

HERNANI, LE MASQUE

LE MASQUE
                  « Quoi qu'il puisse advenir,
2015 « Quand tu voudras, vieillard, quel que soit le lieu, l'heure,
« S'il te passe à l'esprit qu'il est temps que je meure,
« Viens, sonne de ce cor, et ne prends d'autres soins.
« Tout sera fait[1]. » — Ce pacte eut les morts pour
                                                    [témoins[2].
Eh bien, tout est-il fait?

HERNANI, *à voix basse.*
                  C'est lui!

LE MASQUE
                            Dans ta demeure
2020 Je viens, et je te dis qu'il est temps. C'est mon heure.
Je te trouve en retard.

HERNANI
                  Bien. Quel est ton plaisir?
Que feras-tu de moi? Parle.

LE MASQUE
                            Tu peux choisir
Du fer ou du poison. Ce qu'il faut, je l'apporte.
Nous partirons tous deux.

HERNANI
                  Soit.

---

1. Rappel du serment d'Hernani (v. 1292-1296).
2. Hernani a juré sur la tête de son père et devant les portraits
des Silva. Voir le v. 1290 et le v. 1296.

LE MASQUE
Prions-nous?

HERNANI
Qu'importe!

LE MASQUE
2025 Que prends-tu?

HERNANI
Le poison.

LE MASQUE
Bien! — Donne-moi ta main.
Il présente une fiole à Hernani, qui la reçoit en pâlissant.
Bois, — pour que je finisse.
Hernani approche la fiole de ses lèvres, puis recule.

HERNANI
Oh! par pitié, demain! —
Oh! s'il te reste un cœur, duc, ou du moins une âme,
Si tu n'es pas un spectre échappé de la flamme,
Un mort damné, fantôme ou démon désormais,
2030 Si Dieu n'a point encor mis sur ton front : jamais!
Si tu sais ce que c'est que ce bonheur suprême
D'aimer, d'avoir vingt ans, d'épouser quand on aime,
Si jamais femme aimée a tremblé dans tes bras,
Attends jusqu'à demain! Demain tu reviendras!

LE MASQUE
2035 Simple[1] qui parle ainsi! Demain! demain! — Tu
[railles!
Ta cloche a ce matin sonné tes funérailles!
Et que ferais-je, moi, cette nuit? J'en mourrais.
Et qui viendrait te prendre et t'emporter après?
Seul descendre au tombeau! Jeune homme, il faut me
[suivre.

HERNANI
2040 Eh bien, non! et de toi, démon, je me délivre!
Je n'obéirai pas.

---

1. Qui a peu de finesse, naïf.

LE MASQUE

Je m'en doutais. Fort bien.
Sur quoi donc m'as-tu fait ce serment? — Ah! sur rien!
Peu de chose, après tout! La tête de ton père!
Cela peut s'oublier. La jeunesse est légère.

HERNANI

2045 Mon père! Mon père!... — Ah! j'en perdrai la raison!

LE MASQUE

Non, ce n'est qu'un parjure et qu'une trahison.

HERNANI

Duc!

LE MASQUE

Puisque les aînés des maisons espagnoles [1]
Se font jeu maintenant de fausser leurs paroles,
Adieu!

Il fait un pas pour sortir.

HERNANI

Ne t'en va pas.

LE MASQUE
Alors...

HERNANI
Vieillard cruel!

Il prend la fiole.

2050 Revenir sur mes pas à la porte du ciel!
*Rentre doña Sol, sans voir le masque, qui est debout, au
fond.*

SCÈNE VI

LES MÊMES, DOÑA SOL

DOÑA SOL

Je n'ai pu le trouver, ce coffret.

HERNANI, *à part.*
Dieu! c'est elle!

Dans quel moment!

1. Les aînés des familles nobles d'Espagne.

DOÑA SOL

Qu'a-t-il? je l'effraie, il chancelle
A ma voix! — Que tiens-tu dans ta main? quel soupçon!
Que tiens-tu dans ta main? réponds.
*Le domino s'est approché et se démasque. Elle pousse un
cri, et reconnaît don Ruy.*

C'est du poison!

HERNANI

2055 Grand Dieu!

DOÑA SOL, *à Hernani.*

Que t'ai-je fait? quel horrible mystère!
Vous me trompiez, don Juan!

HERNANI

Ah! j'ai dû te le taire!
J'ai promis de mourir au duc qui me sauva.
Aragon doit payer cette dette à Silva[1].

DOÑA SOL

Vous n'êtes pas à lui, mais à moi. Que m'importe
2060 Tous vos autres serments!

A don Ruy Gomez.

Duc, l'amour me rend forte.
Contre vous, contre tous, duc, je le défendrai.

DON RUY GOMEZ, *immobile.*

Défends-le si tu peux contre un serment juré.

DOÑA SOL

Quel serment?

HERNANI

J'ai juré.

1. En engageant sa parole, Hernani-Jean d'Aragon a engagé
l'honneur de sa famille vis-à-vis de celle du duc de Silva.

DOÑA SOL
Non, non rien ne te lie!
Cela ne se peut pas! Crime! attentat! folie!

DON RUY GOMEZ
2065 Allons duc!
Hernani fait un geste pour obéir. Doña Sol cherche à
l'entraîner.

HERNANI
Laissez-moi, doña Sol. Il le faut.
Le duc a ma parole, et mon père est là-haut!

DOÑA SOL, *à don Ruy Gomez.*
Il vaudrait mieux pour vous aller aux tigres même
Arracher leurs petits qu'à moi celui que j'aime!
Savez-vous ce que c'est que doña Sol? Longtemps,
2070 Par pitié pour votre âge et pour vos soixante ans,
J'ai fait la fille douce, innocente, et timide,
Mais voyez-vous cet œil de pleurs de rage humide?
Elle tire un poignard de son sein.
Voyez-vous ce poignard? — Ah! vieillard insensé,
Craignez-vous pas le fer quand l'œil a menacé?
2075 Prenez garde, don Ruy! — Je suis de la famille[1],
Mon oncle! — Ecoutez-moi. Fussé-je votre fille,
Malheur si vous portez la main sur mon époux!
Elle jette le poignard, et tombe à genoux devant le duc.
Ah! je tombe à vos pieds! Ayez pitié de nous!
Grâce! Hélas! monseigneur, je ne suis qu'une femme,
2080 Je suis faible, ma force avorte dans mon âme,
Je me brise aisément. Je tombe à vos genoux!
Ah! je vous en supplie, ayez pitié de nous!

DON RUY GOMEZ
Doña Sol!

DOÑA SOL
Pardonnez! Nous autres Espagnoles,
Notre douleur s'emporte à de vives paroles,
2085 Vous le savez. Hélas! vous n'étiez pas méchant!

---

1. Doña Sol appartient comme Don Ruy à la famille des Silva.

Pitié! vous me tuez, mon oncle, en le touchant!
Pitié! je l'aime tant!

DON RUY GOMEZ
Vous l'aimez trop!

HERNANI
Tu pleures!

DOÑA SOL
Non, non, je ne veux pas, mon amour, que tu meures!
Non! je ne le veux pas.
A don Ruy.
Faites grâce aujourd'hui!
2090 Je vous aimerai bien aussi, vous.

DON RUY GOMEZ
Après lui!
De ces restes d'amour, d'amitié, — moins encore,
Croyez-vous apaiser la soif qui me dévore?
Montrant Hernani.
Il est seul! il est tout! Mais moi, belle pitié!
Qu'est-ce que je peux faire avec votre amitié?
2095 Ô rage! il aurait, lui, le cœur, l'amour, le trône,
Et d'un regard de vous il me ferait l'aumône!
Et s'il fallait un mot à mes vœux insensés,
C'est lui qui vous dirait : — Dis cela, c'est assez! —
En maudissant tout bas le mendiant avide
2100 Auquel il faut jeter le fond du verre vide!
Honte! dérision! Non. Il faut en finir.
Bois.

HERNANI
Il a ma parole et je dois la tenir.

DON RUY GOMEZ
Allons!
*Hernani approche la fiole de ses lèvres. Doña Sol se jette
sur son bras.*

DOÑA SOL
Oh! pas encor! Daignez tous deux m'entendre!

DON RUY GOMEZ

Le sépulcre est ouvert, et je ne puis attendre.

DOÑA SOL

2105 Un instant! — Monseigneur! — Mon don Juan!
                                   [— Ah! tous deux
Vous êtes bien cruels! Qu'est-ce que je veux d'eux?
Un instant! voilà tout, tout ce que je réclame! —
Enfin on laisse dire à cette pauvre femme
Ce qu'elle a dans le cœur!... — Oh! laissez-moi parler!

DON RUY GOMEZ, *à Hernani.*

2110 J'ai hâte.

DOÑA SOL

        Messeigneurs, vous me faites trembler!
Que vous-ai je donc fait?

HERNANI

            Ah! son cri me déchire.

DOÑA SOL, *lui retenant toujours le bras.*
Vous voyez bien que j'ai mille choses à dire!

DON RUY GOMEZ, *à Hernani.*
Il faut mourir.

DOÑA SOL, *toujours pendue au bras d'Hernani.*
        Don Juan, lorsque j'aurai parlé,
Tout ce que tu voudras, tu le feras.
                          Elle lui arrache la fiole.
                          Je l'ai!
*Elle élève la fiole aux yeux d'Hernani et du vieillard
étonné.*

DON RUY GOMEZ

2115 Puisque je n'ai céans affaire qu'à deux femmes,
Don Juan, il faut qu'ailleurs j'aille chercher des âmes[1].
Tu fais de beaux serments par le sang dont tu sors,

---

1. Des âmes courageuses.

Et je vais à ton père en parler chez les morts!
— Adieu!

Il fait quelques pas pour sortir. Hernani le retient.

HERNANI
Duc, arrêtez!

A doña Sol.

Hélas! je t'en conjure,
2120 Veux-tu me voir faussaire, et félon, et parjure?
Veux-tu que partout j'aille avec la trahison
Ecrite sur le front? Par pitié, ce poison,
Rends-le-moi! Par l'amour, par notre âme immortelle!...

DOÑA SOL, *sombre.*
Tu veux?

Elle boit.

Tiens maintenant.

DON RUY GOMEZ, *à part.*
Ah! c'était donc pour elle!

DOÑA SOL, *rendant à Hernani la fiole à demi vidée.*
2125 Prends, te dis-je.

HERNANI, *à don Ruy.*
Vois-tu, misérable vieillard!

DOÑA SOL
Ne te plains pas de moi, je t'ai gardé ta part.

HERNANI, *prenant la fiole.*
Dieu!

DOÑA SOL
Tu ne m'aurais pas ainsi laissé la mienne,
Toi! Tu n'as pas le cœur d'une épouse chrétienne.
Tu ne sais pas aimer comme aime une Silva.
2130 Mais j'ai bu la première et suis tranquille. — Va!
Bois si tu veux!

HERNANI
Hélas! qu'as-tu fait, malheureuse?

DOÑA SOL

C'est toi qui l'as voulu.

HERNANI

C'est une mort affreuse!

DOÑA SOL

Non. Pourquoi donc?

HERNANI

Ce philtre au sépulcre conduit.

DOÑA SOL

Devions-nous pas dormir ensemble cette nuit?
2135 Qu'importe dans quel lit?

HERNANI

Mon père, tu te venges

Sur moi qui t'oubliais!
Il porte la fiole à sa bouche.

DOÑA SOL, *se jetant sur lui.*

Ciel! des douleurs étranges!...

Ah! jette loin de toi ce philtre! — Ma raison
S'égare. Arrête! Hélas! mon don Juan, ce poison
Est vivant! ce poison dans le cœur fait éclore
2140 Une hydre[1] à mille dents qui ronge et qui dévore!
Oh! je ne savais pas qu'on souffrît à ce point!
Qu'est-ce donc que cela? c'est du feu! Ne bois point!
Oh! tu souffrirais trop!

HERNANI, *à don Ruy.*

Oh! ton âme est cruelle!

Pouvais-tu pas choisir d'autre poison pour elle?
Il boit et jette la fiole.

DOÑA SOL

2145 Que fais-tu?

---

1. Monstre mythologique, serpent à plusieurs têtes.

HERNANI

Qu'as-tu fait?

DOÑA SOL

Viens, ô mon jeune amant,

Dans mes bras.
Ils s'asseyent l'un près de l'autre.

Est-ce pas qu'on souffre horriblement?

HERNANI

Non.

DOÑA SOL

Voilà notre nuit de noces commencée!
Je suis bien pâle, dis, pour une fiancée?

HERNANI

Ah!

DON RUY GOMEZ

La fatalité s'accomplit.

HERNANI

Désespoir!
2150 Ô tourment! doña Sol souffrir, et moi le voir!

DOÑA SOL

Calme-toi. Je suis mieux. — Vers des clartés nouvelles
Nous allons tout à l'heure ensemble ouvrir nos ailes.
Partons d'un vol égal vers un monde meilleur.
Un baiser seulement, un baiser!
Ils s'embrassent.

DON RUY GOMEZ

Ô douleur!

HERNANI, *d'une voix affaiblie.*

2155 Oh! béni soit le ciel qui m'a fait une vie
D'abîmes entourée et de spectres suivie,
Mais qui permet que, las d'un si rude chemin,
Je puisse m'endormir ma bouche sur ta main!

DON RUY GOMEZ
Qu'ils sont heureux!

HERNANI, *d'une voix de plus en plus faible.*
Viens, viens... doña Sol... tout est
[sombre...
2160 Souffres-tu?

DOÑA SOL, *d'une voix également éteinte.*
Rien, plus rien.

HERNANI
Vois-tu des feux dans l'ombre?

DOÑA SOL
Pas encor.

HERNANI, *avec un soupir.*
Voici...
Il tombe.

DON RUY GOMEZ, *soulevant sa tête qui retombe.*
Mort!

DOÑA SOL, *échevelée, et se dressant à demi sur son
séant.*
Mort! non pas! nous dormons.
Il dort. C'est mon époux, vois-tu. Nous nous aimons.
Nous sommes couchés là. C'est notre nuit de noce.
D'une voix qui s'éteint.
Ne le réveillez pas, seigneur duc de Mendoce.
2165 Il est las.
Elle retourne la figure d'Hernani.
Mon amour, tiens-toi vers moi tourné...
Plus près... plus près encor...
Elle retombe.

DON RUY GOMEZ
Morte! — Oh! je suis damné.
Il se tue.

DOSSIER

L'Espagne

Les échos intertextuels sont évidemment innombrables dans *Hernani*. Dans la rédaction du drame, Hugo s'appuie d'abord sur une riche documentation touchant à l'histoire de l'Espagne, dont il fait le cadre principal de l'action dans la pièce. Le pays est familier à l'écrivain qui fut élève au Collège des Nobles de Madrid en 1811. Dès 1821, il a emprunté à la Bibliothèque royale certains volumes du *Romancero general*, recueil d'histoires et de légendes espagnoles que son frère Abel traduit à la même époque. Il y trouve le nom de Doña Sol, l'argument du drame (la lutte entre un grand seigneur et son souverain) et différents épisodes de la *Reconquista* qu'il utilisera dans la « scène des portraits » (III, 6). Il consulte aussi le *Libro de Armas de los Mayores* d'Ambrosio de Salazar qui lui fournit des informations sur les noms et la généalogie des Grands d'Espagne. Enfin, pour camper le personnage de don Carlos, il affirme, dans une note, s'être inspiré d'une chronique du XVIᵉ siècle :

> Il est peut-être à propos de mettre sous les yeux du public ce que dit la chronique espagnole de Alaya (qui ne doit pas être confondu avec Ayala, l'annaliste de Pierre le Cruel) touchant la jeunesse de Charles Quint, lequel figure, comme on sait, dans le drame de *Hernani*.

« Don Carlos, tant qu'il ne fut qu'archiduc
d'Autriche et roi d'Espagne, fut un jeune prince amoureux de son plaisir, grand coureur d'aventures, séré-
nades et estocades sous les balcons de Saragosse, ravis-
sant volontiers les belles aux galants, et les femmes aux
maris, voluptueux et cruel au besoin. Mais, du jour où
il fut empereur, une révolution se fit en lui (*se hizo una
revolucion en el*) et le débauché Don Carlos devint ce
monarque habile, sage, clément, hautain, glorieux,
hardi avec prudence, que l'Europe a admiré sous le
nom de Charles Quint » (Grandezas des España, des-
canso 24).
     Nous ajouterons que le fait principal du drame de
Hernani, lequel sert de dénouement, est historique.

Les pièces des auteurs espagnols Alarcon, Calderón
et Lope de Vega ont pu également entrer en résonance avec le projet hugolien.

Corneille, Molière, Shakespeare.

Cependant, c'est ailleurs que Victor Hugo trouve
l'essentiel de son inspiration. Présentés dans la *Préface
de Cromwell* comme les précurseurs du drame romantique, Shakespeare, Corneille, mais aussi Molière
offrent à Hugo des personnages et des situations qu'il
emprunte pour les transformer dans *Hernani*.
     Don Carlos, auteur d'un pardon général dans le
finale de l'acte IV, a la clémence de l'empereur
Auguste dans le *Cinna* de Corneille. Quant à don Ruy
Gomez, incarnation de l'honneur castillan et de ses
règles de fer, il évoque irrésistiblement le don Diègue
du *Cid*. Le vieux duc fait d'ailleurs référence explicite-
ment au héros de l'Espagne (I, 3, v. 237). Don Ruy
s'apparente aussi à l'Arnolphe de *L'Ecole des Femmes*
de Molière par sa passion sénile et ses discours mora-
lisateurs mais, dans sa dernière apparition fantoma-
tique de l'acte V, il fait surtout penser au Comman-
deur de *Dom Juan* ou aux spectres du théâtre
shakespearien, ces figures obsédantes de la conscience
et du passé. Il existe toutefois une différence notable
entre don Ruy Gomez et ces personnages de vieillards, de pères ou de spectres réclamant vengeance et
restauration de la Loi : le vieux duc est l'incarnation

d'un ordre révolu, désormais refusé et que lui-même discrédite par un amour à contretemps (« Prendre une jeune fille! Oh vieillard insensé[1]! »). Ses cheveux blancs n'inspirent plus le respect mais la moquerie ou la terreur, celle qu'inspire le diable plutôt que celle de Dieu. Il est « Un mort damné, fantôme ou démon désormais[2] ».

Hernani, pour sa part, partage avec Hamlet, le héros de Shakespeare, la passion et l'hésitation dans l'accomplissement de sa vengeance. Son face-à-face permanent avec la mort rappelle la rencontre entre Hamlet et le fantôme de son père sur les remparts du château d'Elseneur :

ENTRENT HAMLET ET LE SPECTRE

HAMLET. — Où veux-tu me conduire? Parle, je n'irai pas plus loin.

LE SPECTRE. — Ecoute-moi bien.

HAMLET. — J'écoute.

LE SPECTRE. — L'heure est presque arrivée où je dois retourner dans les flammes sulfureuses qui servent à mon tourment.

HAMLET. — Hélas! pauvre ombre!

LE SPECTRE. — Ne me plains pas, mais prête ta sérieuse attention à ce que je vais te révéler.

HAMLET. — Parle! je suis tenu d'écouter.

LE SPECTRE. — Comme tu le seras de tirer vengeance, quand tu auras écouté.

HAMLET. — Comment?

LE SPECTRE. — Je suis le spectre de ton père, condamné pour un certain temps à errer la nuit, et, le jour, à jeûner dans une prison de flamme, jusqu'à ce que le feu m'ait purgé des crimes noirs commis aux jours de ma vie mortelle. S'il ne m'était pas interdit de dire les secrets de ma prison, je ferais un récit dont le moindre mot labourerait ton âme, glacerait ton jeune sang, ferait sortir tes yeux, comme deux étoiles, de leurs orbites, ferait se séparer tes cheveux, et hérisserait chacun d'eux sur ta tête comme les piquants d'un porc-épic furieux. Mais ces descriptions du monde éternel ne sont pas faites pour des oreilles de chair et de sang... Ecoute, écoute! Oh! écoute! Si tu as jamais aimé ton tendre père...

1. I, 2.
2. V, 5. v. 2029.

HAMLET. — Ô ciel!

LE SPECTRE. — Venge-le d'un meurtre horrible et monstrueux.

HAMLET. — D'un meurtre?

LE SPECTRE. — Un meurtre horrible! le plus excusable l'est déjà; mais celui-ci fut le plus horrible, le plus étrange, le plus monstrueux.

HAMLET. — Fais-le-moi vite connaître, pour qu'avec des ailes rapides comme la pensée ou les élans d'amour, je vole à la vengeance!

LE SPECTRE. — Tu es prêt, je le vois. Tu serais plus inerte que l'herbe grasse qui s'épanouit à l'aise sur la rive du Léthé, si tu n'étais pas excité par ceci. Maintenant, Hamlet, écoute! On a fait croire que, tandis que je dormais dans mon jardin, un serpent m'avait piqué. Ainsi, toutes les oreilles du Danemark ont été grossièrement abusées par un récit mensonger de ma mort. Mais sache-le, noble enfant! le serpent qui a mordu ton père mortellement porte aujourd'hui sa couronne.

HAMLET. — Ô mon âme prophétique! Mon oncle?

LE SPECTRE. — Oui, ce monstrueux incestueux, adultère, par la magie de son esprit, par ses dons perfides, (oh! maudits soient l'esprit et les dons qui ont le pouvoir de séduire à ce point!) a fait céder à sa passion honteuse la volonté de ma reine, la plus vertueuse des femmes en apparence... Ô Hamlet, quelle chute!

Shakespeare, *Hamlet* (I, 5) Traduction de François-Victor Hugo.

II. Le personnage d'Hernani

Par sa passion dévorante, sa révolte et son échec, Hernani s'inscrit dans la lignée des héros romantiques. Il possède également les caractères de certaines figures mythiques telles que Caïn, le rebelle de la Bible [1], frère et fils maudit, Tristan, le héros du roman d'amour courtois ou Faust [2], l'homme en quête d'absolu, prisonnier d'un pacte avec le diable.

Le proscrit

Hernani, tout d'abord, se distingue des héros de la tragédie classique par la marginalité de son statut social au début du drame. Il appartient à la famille des exclus, des parias, des « malheureux que tout abandonne et repousse » (v. 48), cette famille chère à Hugo qui, de Quasimodo à Jean Valjean et à Gwynplaine [3], n'a cessé d'accueillir dans son œuvre ces orphelins et ces réprouvés. Hernani est l'homme de la nuit : il n'en sort, clandestinement, que pour rejoindre, au péril de sa vie, Doña Sol.

1. L'histoire de Caïn, meurtrier de son frère, condamné par Dieu à l'errance, apparaît dans la *Genèse* (4, 1-15) et chez Hugo dans *La Légende des Siècles* (« La conscience »).
2. Le *Faust* de Goethe fut traduit en français par G. de Nerval en 1828.
3. Personnages de *Notre-Dame de Paris, Les Misérables* et *L'Homme qui rit.*

C'est aussi un révolté contre l'autorité du roi, un régicide en puissance puisqu'il rêve de tuer don Carlos, un chef de bandits, de « Proscrits, dont le bourreau sait d'avance les noms », « rudes compagnons » des montagnes et des forêts[1].

Mais la révolte du héros, sa vengeance sans cesse empêchée, différée, sont vouées à l'échec. Peu à peu, autour de lui, se resserre un cercle fatal symbolisé par les policiers qui tentent de le capturer (II, 4), les murs du château de Silva, où il se trouve enfermé (III, 5), le tombeau de Charlemagne, où il est pris au piège (IV, 4). Sa troupe décimée[2], il est condamné à la solitude :

> « Je n'ai plus un ami qui de moi se souvienne,
> Tout me quitte [...][3]. »

Dans l'économie du drame, le signe de cet isolement, caractéristique de l'individualité romantique, est l'absence d'adjuvant ou de confident pour Hernani ; c'est encore ce qui le distingue des héros du théâtre classique. Seule Doña Sol recueille la parole du banni. Encore ces dialogues sont-ils menacés, interrompus par l'intervention d'autres personnages.

La réintégration du héros dans son titre de grand d'Espagne et dans son palais d'Aragon au dernier acte ne peut empêcher son exclusion définitive, celle de la mort à laquelle le condamne son pacte avec don Ruy.

Le fiancé de la mort

Figure de la solitude et de l'échec, Hernani est aussi le héros d'une passion fatale. Passionné, il l'est dans son amour pour Doña Sol, dans la violence d'un sentiment qui ne suit pas, pour s'exprimer, les détours de la rhétorique galante mais s'affirme, sur un mode direct, par des images hyperboliques qui choquèrent les contemporains :

> « Moi ! je brûle près de toi !
> Ah ! quand l'amour jaloux bouillonne dans nos têtes,

---

1. Voir I, 2, v. 125 à 138.
2. Voir III, 4, v. 973 à 980.
3. III, 4, v. 985-986.

Quand notre cœur se gonfle et s'emplit de tempêtes,
Qu'importe ce que peut un nuage des airs
Nous jeter en passant de tempête et d'éclairs[1] ! »

Son « cœur rongé de lave » (v. 1912), qui rêve l'apaisement dans les bras de l'aimée, est prompt à la jalousie[2], signe de la fragilité d'un être qui ne croit pas à son bonheur.

En effet le sentiment qui l'emporte chez Hernani et qui assombrit le discours de sa passion est celui de l'obscure malédiction qui le frappe et à laquelle, confusément, il participe. Son amour pour doña Sol, comme toute sa personne, semble placé sous un signe funeste. Contrairement à la fatalité subie par le héros de la tragédie classique, celle vécue par Hernani n'est pas extérieure au personnage. Elle est en lui, dans l'obsession permanente de la mort. Ce cauchemar est d'abord associé aux images de l'exécution de son père, au « drap d'échafaud noir » (v. 118), au sang. Il éprouve aussi la hantise de sa propre mort et dit à doña Sol :

Tu vis, et je suis mort. Je ne vois pas pourquoi
Tu te ferais murer dans ma tombe avec moi[3] ! »

Mais sa principale angoisse est de causer la mort des autres, d'être lui-même l'agent de cette fatalité à laquelle il voudrait échapper mais à laquelle il finit par s'identifier :

« Je suis une force qui va !
Agent aveugle et sourd de mystères funèbres !
Une âme de malheur faite avec des ténèbres ! [...]
Cependant, à l'entour de ma course farouche,
Tout se brise, tout meurt. Malheur à qui me touche[4] ! »

Ainsi par une fatalité intérieure, celle du cœur humain, Hernani est celui qui ne peut aimer sans pro-

1. I, 2, v. 50-54.
2. Voir notamment la scène 4 de l'acte III.
3. III, 4, v. 971-972.
4. III, 4, v. 992-994 et 1001-1002.

voquer un malheur. Chez lui, amour et mort sont inextricablement mêlés :

> Mon épousée aussi m'attend! [...]
> C'est la mort [...] ». (v. 877-879)

et comme l'atteste un dénouement dans lequel la violence de la passion a le goût du poison.

Par cet entrelacement des thèmes, l'histoire d'Hernani et de doña Sol s'inscrit clairement dans la lignée du mythe de Tristan et Iseut, le roman d'une passion mystique qui se veut hors norme et qui s'exalte à l'infini face à l'obstacle qu'elle recherche pour grandir : la mort.

> « Seigneurs, vous plaît-il d'entendre un beau conte d'amour et de mort?... »
>
> Rien au monde ne saurait nous plaire davantage.
>
> A tel point que ce début du *Tristan* de Bédier doit passer pour le type idéal de la première phrase d'un roman. C'est le trait d'un art infaillible qui nous jette dès le seuil du conte dans l'état passionné d'attente où naît l'illusion romanesque. D'où vient ce charme? Et quelles complicités cet artifice de « rhétorique profonde » sait-il rejoindre dans nos cœurs?
>
> Que l'accord d'*amour* et de *mort*, soit celui qui émeuve en nous les résonances les plus profondes, c'est un fait qu'établit à première vue le succès prodigieux du *roman*. Il est d'autres raisons, plus secrètes, d'y voir comme une définition de la conscience occidentale...
>
> Amour et *mort*, amour mortel : si ce n'est pas toute la poésie, c'est du moins tout ce qu'il y a de populaire, tout ce qu'il y a d'universellement émouvant dans nos littératures ; et dans nos plus vieilles légendes, et dans nos plus belles chansons. L'amour heureux n'a pas d'histoire. Il n'est de roman que de l'amour mortel, c'est-à-dire de l'amour menacé et condamné par la vie même. Ce qui exalte le lyrisme occidental, ce n'est pas le plaisir des sens, ni la paix féconde du couple. C'est moins l'amour comblé que la *passion* d'amour. Et passion signifie souffrance. Voilà le fait fondamental.

Denis de Rougemont, *L'Amour et l'Occident*, Librairie Plon, 1939.

Cet amour qui associe désir de vie et désir de mort est à l'image des ambiguïtés d'Hernani.

La dualité du héros

La difficulté d'être d'Hernani se manifeste d'abord dans ses relations complexes avec don Carlos et don Ruy Gomez.

Face au roi, Hernani est, certes, le rebelle, mais il est aussi le rival en amour. Par bien des aspects, les deux jeunes hommes apparaissent comme des doubles, des frères ennemis épris de la même femme. Cette jalousie qui leur met l'épée à la main est celle de Caïn pour Abel. Don Carlos et Hernani sont si proches que le premier réussit à se faire passer pour le second à deux reprises (I, 1 et II, 2). Quant au finale de l'acte IV, il marque une troublante réconciliation entre les adversaires de la veille. Hernani lui-même s'étonne de découvrir en son cœur une telle métamorphose :

« Je ne hais plus. Carlos a pardonné.
Qui donc nous change tous ainsi ? » (v. 1788-1789)

Le héros, d'abord obsédé par sa vengeance[1], voudrait l'oublier pour se livrer au bonheur d'aimer, sans pourtant que sa conscience s'apaise :

« Je m'en vais inutile avec mon double rêve
Honteux de n'avoir pu ni punir, ni charmer,
Qu'on m'ait fait pour haïr, moi qui n'ai su
[qu'aimer[2]. »

Avec don Ruy Gomez, les relations du héros ne sont pas davantage transparentes. Le duc est, d'une part, pour Hernani, le représentant de l'ordre aristocratique dont il se réclame, la figure paternelle à laquelle il voudrait obéir. C'est d'ailleurs don Ruy qui lui rappelle ironiquement le serment juré sur la tête de son père :

« Tu fais de beaux serments par le sang dont tu sors,
Et je vais à ton père en parler chez les morts[3]. »

---

1. Voir son monologue de l'acte I, scène 4.
2. III, 4, v. 966-968.
3. V, 6, v. 2117-2118.

Mais, d'autre part, Hernani cherche à se débarrasser du vieillard, à se délivrer du pacte passé avec lui (III, 7) qu'il ressent moins comme la soumission légitime du vassal à son seigneur que comme un pacte maléfique avec le diable. Hernani, comme le Faust de Goethe, est déchiré entre son rêve de pureté et d'absolu (représenté par doña Sol) et la réalité contraignante de sa dette envers le passé (incarnée par don Ruy, substitut du Père). Il est partagé entre désir de liberté et aliénation, soumission et révolte, souvenir et oubli.

Ce déchirement conduit à la folie :

« Mon père! — Mon père!... — Ah! j'en perdrai la
[raison! » (v. 2045)

La manifestation la plus claire de cette partition du sujet, dangereuse pour sa raison, est sa difficulté à assumer sa double identité : redevenu Jean d'Aragon (acte V), il veut oublier Hernani, comme on chasse de son esprit un mauvais rêve. Il crie à doña Sol :

« Oh! ne me nomme plus de ce nom, par pitié!
Tu me fais souvenir que j'ai tout oublié[1]! »

Le choix imposé à Hernani — trahir la parole donnée ou perdre l'être aimé — est impossible. Il le résout par une mort qui scelle un destin tragique. Cependant, le dernier baiser échangé avec doña Sol sous les yeux de don Ruy (V, 6) peut être vu comme un ultime défi à l'ordre du passé, à l'ordre des pères, une pathétique affirmation de la liberté des héros, celle d'aimer, fût-ce « en dehors du monde et de la loi ».

---

1. V, 3, 1917-1918.

III. HERNANI, LA POLITIQUE ET L'HISTOIRE

Le drame, pour Victor Hugo, doit « tout regarder à la fois sous toutes les faces », la « passion humaine » et « l'histoire que nos pères ont faite, confrontée avec l'histoire que nous faisons[1]. *Hernani* répond à cette ambition en mêlant à la peinture d'histoire l'imagination du poète mais aussi une réflexion politique et morale sur la destinée d'un grand homme, don Carlos-Charles Quint.

Le drame historique.

Choisir comme cadre historique et géographique, pour l'action d'*Hernani*, l'Espagne de la Renaissance, relève pour Hugo d'un parti pris esthétique. La « couleur locale » espagnole plaît à ses contemporains romantiques[2] par son exotisme et lui-même a consacré plusieurs poèmes des *Orientales* aux personnages légendaires des chroniques du *Romancero general*.

Il apprécie particulièrement la synthèse originale réalisée en Espagne entre les influences occidentales (le « gothique ») et orientales (le « moresque[3] »).

---

1. Préface de *Marie Tudor*.
2. Mérimée ou Musset notamment.
3. Voir la Préface d'*Hernani*.

Il place aussi son drame dans la lignée des pièces espagnoles de Corneille, *Don Sanche* et *Le Cid*, dont il veut atteindre la grandeur héroïque[1].

A partir d'éléments historiques (la lutte entre le roi et les grands seigneurs féodaux, l'élection de don Carlos à la tête de l'Empire germanique, la conjuration contre l'Empereur), Hugo donne libre cours à sa fantaisie, bouleverse parfois la chronologie, change certains noms, invente l'histoire de la vengeance familiale d'Hernani.

Mais le plus important pour l'écrivain est de créer des échos entre la période choisie (l'action d'*Hernani* se passe en 1519) et celle qu'il vit (la Restauration). Ce sont en effet deux époques de transition et d'instabilité. L'Espagne du début de la Renaissance, marquée par un fort régionalisme et diverses influences (catholique, musulmane, juive), est en voie d'unification. Isabelle la Catholique et son mari Ferdinand ont réuni, en 1469, les Royaumes d'Aragon et de Castille. Don Carlos, leur petit-fils[2], roi d'Espagne depuis 1516, va se trouver, après la mort de Maximilien Ier, à la tête d'un immense empire qui comprend, outre l'Espagne et ses colonies, la Sicile, l'Allemagne, l'Autriche, les Flandres, des centaines de villes et d'Etats. Cet ensemble disparate est toujours menacé d'éclatement par des révoltes, des guerres locales, des pressions extérieures (celle du roi de France, François Ier ou celle du Sultan des Turcs, Soliman). Or don Carlos, lors de son élection, n'a que 19 ans.

A trois siècles de distance, tout aussi incertaine est l'époque qui suit la Révolution française et l'Empire : sous la Restauration (1815-1830), les prétentions de la noblesse et du clergé à dominer la société française et les tentatives des rois Louis XVIII et Charles X pour rétablir l'ordre monarchique sont de plus en plus contestées. Pour

1. Voir encore la Préface d'*Hernani*.
2. Voir la généalogie de Charles Quint.

Victor Hugo, la question essentielle reste celle de la légitimité d'un pouvoir qui ne s'appuie pas sur le peuple mais sur la transmission héréditaire du titre de roi. La mise en scène du personnage de Charles Quint, souverain élu, est l'occasion d'une méditation sur le parcours d'un grand homme dont le sort n'est plus fixé par la naissance, mais par le mouvement même de l'histoire.

De don Carlos à Charles Quint.

Hugo comptait consacrer une trilogie dramatique à la vie de Charles Quint. Il n'en a finalement écrit que le premier volet. Dans *Hernani*, avec l'élection de don Carlos, « le soleil de la maison d'Autriche se lève » et va dominer le monde pendant deux siècles. « Ces grandes apparitions de dynasties qui illuminent par moments l'histoire sont pour l'auteur un beau et mélancolique spectacle sur lequel ses yeux se fixent souvent[1] ». « Beau et mélancolique » parce que les dynasties sont mortelles. Les contemporains de Victor Hugo n'ont-ils pas vu s'effondrer sous leurs yeux l'empire napoléonien en 1815 ?

La comparaison entre don Carlos et Bonaparte, deux jeunes hommes arrivés au faîte de la puissance, deux incarnations du grand homme, créateur de l'histoire, est déterminante dans la compréhension du scénario politique d'*Hernani*. Pour Hugo, monarchiste déçu des années 1820, le personnage de don Carlos, roi héréditaire de l'Espagne, maître de la police, détenteur d'un exorbitant pouvoir de vie ou de mort sur ses sujets, peut être légitimement contesté par le rebelle Hernani. En revanche, Charles Quint, empereur élu, idée faite homme, « géant d'un monde créateur », « Redonnant une forme, une âme au genre humain[2] », paraît aussi admirable pour le poète que Napoléon célébré à la même époque dans son « Ode à la Colone de la Place Vendôme » :

1. Victor Hugo, Préface de *Ruy Blas*.
2. Voir le monologue de don Carlos (IV, 2, v. 1433 et *sq.*).

« Toujours lui! Lui partout! — Ou brûlante ou
                                              [glacée,
Son image sans cesse ébranle ma pensée.
Il verse à mon esprit le souffle créateur.
Je tremble, et dans ma bouche abondent les paroles
Quand son nom gigantesque entouré d'auréoles,
Se dresse dans mon vers de toute sa hauteur. [...]
Tu domines notre âge; ange ou démon,
                                              [qu'importe?
Ton aigle dans son vol, haletants, nous emporte.
L'œil même qui te fuit te retrouve partout.
Toujours dans nos tableaux tu jettes ta grande
                                              [ombre;
Toujours Napoléon, éblouissant et sombre,
        Sur le seuil du siècle est debout[1]. »

Cette exaltation de la puissance absolue du grand
homme est cependant nuancée, dans le monologue
de don Carlos, par sa vision des trônes de rois
broyés par le « peuple-océan[2] ». Comme le lui rappelle une autre vision, celui du tombeau de Charlemagne, un empereur n'est qu'un homme, un mortel,
incapable, malgré son génie, de maîtriser tous les
événements et soumis aux aléas du destin. Don Carlos aura l'empire mais perdra doña Sol : « beau et
mélancolique spectacle » offet par le drame hugolien
que celui de la solitude du prince qui apprend, dans
la douleur, à maîtriser ses passions alors qu'il devient
le maître du monde.

    1. Ode recueillie dans *Les Orientales* sous le titre « Lui ».
Décembre 1828.
    2. IV, 2, v. 1537-1544.

GÉNÉALOGIE DE CHARLES QUINT
ET DES MAISONS
D'AUTRICHE ET D'ESPAGNE

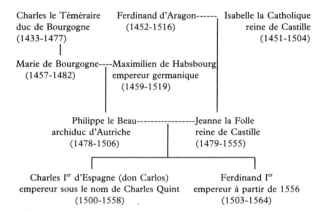

Charles le Téméraire   Ferdinand d'Aragon------   Isabelle la Catholique
duc de Bourgogne   (1452-1516)   reine de Castille
(1433-1477)   (1451-1504)

Marie de Bourgogne----Maximilien de Habsbourg
   (1457-1482)   empereur germanique
                          (1459-1519)

         Philippe le Beau-----------------Jeanne la Folle
         archiduc d'Autriche   reine de Castille
            (1478-1506)   (1479-1555)

Charles Ier d'Espagne (don Carlos)   Ferdinand Ier
empereur sous le nom de Charles Quint   empereur à partir de 1556
          (1500-1558)   (1503-1564)

Lectures critiques

La portée politique d'*Hernani* a été analysée par deux des plus grands spécialistes du théâtre de Victor Hugo.

Anne Ubersfeld, dans la conclusion de son *Roman d'Hernani,* met en relation le drame et son contexte historique.

> Par force et sans que personne sans doute l'ait programmé, *Hernani* a cristallisé les espoirs et les fureurs de tous ceux qui honnissaient la branche aînée des Bourbons, la Restauration, la Sainte-Alliance et la défaite française, le refus de la liberté de pensée et de la Révolution de 1789. Les gens ont parfaitement senti que cette pièce sans contenu politique subversif était un plaidoyer pour les forces profondes et cachées de la liberté. D'une certaine façon, *Hernani* n'a pas été une arme, mais il a été un drapeau ; la victoire de juillet a été sa victoire. Ce que réclamait Hugo, les Trois Glorieuses, et le peuple-océan l'avaient obtenu.
>
> Mais la bataille d'*Hernani* recouvre une autre cause de conflit, « la liberté de l'art réclamée aux mêmes titres que la liberté dans la société. Tout le mal est dans cette confusion » (A. Carrel).

Cette « confusion » sera celle de toute la vie et de l'œuvre de Hugo ; il s'en expliquera dans sa célèbre « Réponse à un acte d'accusation » *(Contemplations*, I, 7) :

« Qui délivre le mot délivre la pensée. »

La liberté de l'art sera toute sa vie sa thèse et son drapeau. Drapeau compromettant, jouet interdit encore en tant de lieux.

Anne Ubersfeld, *Le Roman d'Hernani*, Mercure de France et Comédie Française, 1985.

Jean Gaudon souligne lui aussi qu'au-delà des convictions de Hugo, c'est l'œuvre elle-même, par la dynamique de son écriture, qui marque une prise de position politique.

Il est de bon ton, à droite comme à gauche, de disserter sur les variations de Victor Hugo. Qu'on le range parmi les girouettes ayant « glorifié tous les régimes » ou que l'on fasse de lui un attardé ayant progressivement vu la lumière, le diagnostic est le même et la calomnie continue de courir, d'autant plus virulente que l'œuvre, bien vivante, continue de faire grincer des dents tout en résistant victorieusement aux récupérations imprudentes. Qu'importe pourtant ce que des chiffonniers diversement motivés vont chercher dans les poubelles, fort sélectives, de la biographie. C'est l'œuvre qui parle et qui décide, et qui marche devant. Charles de Rémusat, qui n'a jamais été un buveur de sang, mais qui était alors un journaliste libéral, l'avait compris dès 1827, en lisant *Cromwell*. Son diagnostic, parfait, est aussi une leçon pour tous ceux qui voudraient, lorsqu'ils parlent des écrivains, mettre entre parenthèses la littérature ou en faire le support de leur récit : « Je ne serais pas surpris, écrit-il dans *Le Globe*, que depuis qu'il a fait son *Cromwell*, il ne jugeât autrement que jadis l'histoire contemporaine, son parti, le nôtre, la Révolution. » C'était aller à l'essentiel. On ne comprend pas *Cromwell* à la lumière des opinions du « jeune jacobite » que Hugo a été à vingt ans et qu'il est peut-être, d'une certaine manière, encore. On ne comprend pas Hugo par les options de son « parti ». Tout au contraire, c'est le travail poétique et la dynamique même de l'œuvre qui sont politiquement significatifs et féconds. C'est l'écriture qui, sans cesse, rature, corrige, conteste.

Jean Gaudon, *Hugo et le théâtre. Stratégie et dramaturgie*, Éd. Jean-Jacques Pauvert, 1985.

IV. Les témoins de la « bataille »

Parmi les nombreux récits faits par les contemporains de la bataille d'*Hernani*, au Théâtre-Français, le
25 février 1830, nous avons choisi celui qui, par sa
verve et ses outrances, traduit le mieux l'état d'esprit
d'une jeunesse enthousiaste devant les nouveautés du
drame de Victor Hugo. Ce témoignage de Théophile
Gautier fut écrit quelques jours avant sa mort le
23 octobre 1872, sous la forme d'un article recueilli
dans une *Histoire du romantisme*. Le souvenir est toujours vivant.

SOUVENIRS ROMANTIQUES

La légende du gilet rouge

Nous avons dit, dès les premières lignes de cette
série de souvenirs, comment nous avions été recruté
par Gérard pour la bande d'*Hernani* dans l'atelier de
Rioult, et investi du commandement d'une petite
escouade répondant au mot d'ordre *Hierro*. Cette soirée devait être, selon nous et avec raison, le plus grand
événement du siècle, puisque c'était l'inauguration de
la libre, jeune et nouvelle Pensée sur les débris des

vieilles routines, et nous désirions la solenniser par
quelque toilette d'apparat, quelque costume bizarre et
splendide faisant honneur au maître, à l'école et à la
pièce. Le rapin dominait encore chez nous le poète, et
les intérêts de la couleur nous préoccupaient fort. Pour
nous le monde se divisait en *flamboyants* et en *grisâtres*,
les uns objet de notre amour, les autres de notre aver-
sion. Nous voulions la vie, la lumière, le mouvement,
l'audace de pensée et d'exécution, le retour aux belles
époques de la Renaissance et à la vraie antiquité, et
nous rejetions le coloris effacé, le dessin maigre et sec,
les compositions pareilles à des groupements de man-
nequins, que l'Empire avait légués à la Restauration.

    Grisâtre avait aussi des acceptions littéraires dans
notre pensée : Diderot était un flamboyant, Voltaire un
grisâtre, de même que Rubens et Poussin. Mais nous
avions en outre un goût particulier, l'amour du rouge ;
nous aimions cette noble couleur, déshonorée maintenant par les fureurs politiques, qui est la pourpre, le
sang, la vie, la lumière, la chaleur, et qui se marie si
bien à l'or et au marbre, et cela était un vrai chagrin
pour nous de la voir disparaître de la vie moderne et
même de la peinture. Avant 1789, on pouvait porter un
manteau écarlate avec des galons d'or, et à présent,
pour voir quelques échantillons de cette teinte proscrite, on en était réduit à regarder la garde suisse rele-
ver le poste ou les habits rouges des fox-hunters des
chasses anglaises aux vitrines des marchands
d'estampes. *Hernani* n'est-il pas une occasion sublime
pour réintégrer le rouge dans la place qu'il n'aurait
jamais dû cesser d'occuper ? et n'est-il pas convenable
qu'un jeune rapin à cœur de lion se fasse le chevalier
du Rouge et vienne secouer le flamboiement de la couleur odieuse aux *grisâtres*, sur ce tas de classiques également ennemis des splendeurs de la poésie ? Ces bœufs
verront du rouge et entendront des vers d'Hugo. [...]

    Oui, nous les regardâmes avec un sang-froid parfait
toutes ces larves du passé et de la routine, tous ces
ennemis de l'art, de l'idéal, de la liberté et de la poésie,
qui cherchaient de leurs débiles mains tremblotantes à
tenir fermée la porte de l'avenir ; et nous sentions dans
notre cœur un sauvage désir de lever leur scalp avec
notre tomahawk pour en orner notre ceinture ; mais à
cette lutte, nous eussions couru le risque de cueillir
moins de chevelures que de perruques ; car si elle rail-
lait l'école moderne sur ses cheveux, l'école classique,
en revanche, étalait au balcon et à la galerie du
Théâtre-Français une collection de têtes chauves

pareille au chapelet de crânes de la déesse Dourga. Cela sautait si fort aux yeux, qu'à l'aspect de ces moignons glabres sortant de leurs cols triangulaires avec des tons couleur de chair et beurre rance, malveillants malgré leur apparence paterne, un jeune sculpteur de beaucoup d'esprit et de talent, célèbre depuis, dont les mots valent les statues, s'écria au milieu d'un tumulte : « A la guillotine, les genoux ! » [...]

PREMIÈRE REPRÉSENTATION D'HERNANI

25 février 1830 ! Cette date reste écrite dans le fond de notre passé en caractères flamboyants : la date de la première représentation d'*Hernani !* Cette soirée décida de notre vie ! Là nous reçûmes l'impulsion qui nous pousse encore après tant d'années et qui nous fera marcher jusqu'au bout de la carrière. Bien du temps s'est écoulé depuis, et notre éblouissement est toujours le même. Nous ne rabattons rien de l'enthousiasme de notre jeunesse, et toutes les fois que retentit le son magique du cor, nous dressons l'oreille comme un vieux cheval de bataille prêt à recommencer les anciens combats.

Le jeune poète, avec sa fière audace et sa grandesse de génie, aimant mieux d'ailleurs la gloire que le succès, avait opiniâtrement refusé l'aide de ces cohortes stipendiées qui accompagnent les triomphes et soutiennent les déroutes. Les claqueurs ont leur goût comme les académiciens. Ils sont en général classiques. C'est à contre-cœur qu'ils eussent applaudi Victor Hugo : leurs hommes étaient alors Casimir Delavigne et Scribe, et l'auteur courait risque, si l'affaire tournait mal, d'être abandonné au plus fort de la bataille. On parlait de cabales, d'intrigues ténébreusement ourdies, de guet-apens presque, pour assassiner la pièce et en finir d'un seul coup avec la nouvelle Ecole. Les haines littéraires sont encore plus féroces que les haines politiques, car elles font vibrer les fibres les plus chatouilleuses de l'amour-propre, et le triomphe de l'adversaire vous proclame imbécile. Aussi n'est-il pas de petites infamies et même de grandes que ne se permettent, en pareil cas, sans le moindre scrupule de conscience, les plus honnêtes gens du monde.

On ne pouvait cependant pas, quelque brave qu'il fût, laisser *Hernani* se débattre tout seul contre un parterre mal disposé et tumultueux, contre des loges plus calmes en apparence mais non moins dangereuses dans leur hostilité polie, et dont le ricanement bourdonne si importun au-dessous du sifflet plus franc, du moins, dans son attaque. La jeunesse romantique pleine d'ardeur et fanatisée par la préface de *Cromwell*, résolue à soutenir « l'épervier de la montagne », comme dit Alarcon du *Tisserand de Ségovie*, s'offrit au maître qui l'accepta. Sans doute tant de fougue et de passion était à craindre, mais la timidité, n'était pas le défaut de l'époque. On s'enrégimenta par petites escouades dont chaque homme avait pour passe le carré de papier rouge timbré de la griffe *Hierro*. Tous ces détails sont connus, et il n'est pas besoin d'y insister.

On s'est plu à représenter dans les petits journaux et les polémiques du temps ces jeunes hommes, tous de bonne famille, instruits, bien élevés, fous d'art et de poésie, ceux-ci écrivains, ceux-là peintres, les uns musiciens, les autres sculpteurs ou architectes, quelques-uns critiques et occupés à un titre quelconque de choses littéraires, comme un ramassis de truands sordides. Ce n'étaient pas les Huns d'Attila qui campaient devant le Théâtre-Français, mal-propres, farouches, hérissés, stupides ; mais bien les chevaliers de l'avenir, les champions de l'idée, les défenseurs de l'art libre ; et ils étaient beaux, libres et jeunes. Oui, ils avaient des cheveux, — on ne peut naître avec des perruques — et ils en avaient beaucoup qui retombaient en boucles souples et brillantes, car ils étaient bien peignés. Quelques-uns portaient de fines moustaches et quelques autres des barbes entières. Cela est vrai, mais cela seyait fort bien à leurs têtes spirituelles, hardies et fières, que les maîtres de la Renaissance eussent aimé à prendre pour modèles. [...]

On s'entassa du mieux qu'on put aux places hautes, aux recoins obscurs du cintre, sur les banquettes de derrière des galeries, à tous les endroits suspects et dangereux où pouvait s'embusquer dans l'ombre une clef forée, s'abriter un classique furieux, un prud'homme épris de Campistron et redoutant le massacre des bustes par des septembriseurs d'un nouveau genre. Nous n'étions là guère plus à l'aise que don Carlos n'allait l'être tout à l'heure au fond de son armoire ; mais les plus mauvaises places avaient été réservées aux plus dévoués, comme en guerre les postes les plus périlleux aux enfants perdus qui aiment à se jeter dans la gueule même du danger. Les autres, non moins solides, mais plus sages, occupaient le parterre, rangés en bon ordre sous l'œil de leurs chefs, et prêts à donner avec ensemble sur les philistins au moindre signe d'hostilité.

Six ou sept heures d'attente dans l'obscurité, ou tout au moins la pénombre d'une salle dont le lustre n'est pas allumé, c'est long, même lorsqu'au bout de cette nuit *Hernani* doit se lever comme un soleil radieux.

Des conversations sur la pièce s'engagèrent entre nous, d'après ce que nous en connaissions. Quelques-uns, plus avant dans la familiarité du maître, en avaient entendu lire des fragments dont ils avaient retenu quelques vers, qu'ils citaient et qui causaient un vif enthousiasme. On y pressentait un nouveau *Cid* ; un jeune Corneille non moins fier, non moins hautain et castillan que l'ancien, mais ayant pris cette fois la palette de Shakespeare. On discutait sur les divers titres qu'avait dû porter le drame. Quelques-uns regrettaient *Trois pour une*, qui leur semblait un vrai titre à la Calderón, un titre de cape et d'épée, bien espagnol et bien romantique, dans le genre de *La vie est un songe*, des *Matinées d'avril et de mai* ; d'autres, et avec raison, trouvaient plus de gravité au titre ou plutôt au sous-titre l'*Honneur castillan*, qui contenait l'idée de la pièce.

Le plus grand nombre préférait *Hernani* tout court, et leur avis a prévalu, car c'est ainsi que le drame s'appelle définitivement, et que, pour nous servir de la formule homérique, il voltige, nom ailé, sur la bouche des hommes à la voix articulée. [...]

La faim commençait à se faire sentir. Les plus prudents avaient emporté du chocolat et des petits pains, — quelques-uns — *proh! pudor* — des cervelas ; des classiques malveillants disent à l'ail. Nous ne le pensons pas, d'ailleurs l'ail est classique, Thestysis en broyait pour les moissonneurs de Virgile. La dînette achevée, on chanta quelques ballades d'Hugo, puis on passa à quelques-unes de ces interminables *scies* d'atelier, ramenant, comme les norias leurs godets, leurs couplets versant toujours la même bêtise ; ensuite on se livra à des imitations du cri des animaux dans l'arche, que les critiques du Jardin des Plantes auraient trouvés irréprochables. On se livra à d'innocentes gamineries de rapins ; on demanda la tête ou plutôt le *gazon* de quelque membre de l'Institut ; on déclama des *songes tragiques!* et l'on se permit, à l'endroit de Melpomène, toutes sortes de libertés juvéniles qui durent fort étonner la bonne vieille déesse, peu habituée à sentir chiffonner de la sorte son peplum de marbre.

Cependant le lustre descendait lentement du plafond avec sa triple couronne de gaz et son scintillement prismatique; la rampe montait, traçant entre le monde idéal et le monde réel sa démarcation lumineuse. Les candélabres s'allumaient aux avant-scènes et la salle s'emplissait peu à peu. Les portes des loges s'ouvraient et se fermaient avec fracas. Sur le rebord de velours, posant leurs bouquets et leurs lorgnettes, les femmes s'installaient comme pour une longue séance, donnant du jeu aux épaulettes de leur corsage décolleté, s'asseyant bien au milieu de leurs jupes. — Quoiqu'on ait reproché à notre école l'amour du laid, nous devons avouer que les belles, jeunes et jolies femmes furent chaudement applaudies de cette jeunesse ardente, ce qui fut trouvé de la dernière inconvenance et du dernier mauvais goût par les vieilles et les laides. Les applaudies se cachèrent derrière leurs bouquets avec un sourire qui pardonnait.

L'orchestre et le balcon étaient pavés de crânes académiques et classiques. Une rumeur d'orage grondait sourdement dans la salle, il était temps que la toile se levât : on en serait peut-être venu aux mains avant la pièce, tant l'animosité était grande de part et d'autre. Enfin les trois coups retentirent. Le rideau se replia lentement sur lui-même, et l'on vit, dans une chambre à coucher du XVIᵉ siècle, éclairée par une petite lampe, doña Josefa Duarte, vieille en noir, avec le corps de sa jupe cousu de jais à la mode d'Isabelle la Catholique, écoutant les coups que doit frapper à la porte secrète un galant attendu par sa maîtresse :

Serait-ce déjà lui? — C'est bien à l'escalier

Dérobé —

La querelle était déjà engagée. Ce mot rejeté sans façon à l'autre vers, cet enjambement audacieux, impertinent même, semblait un spadassin de profession, un Saltabadil, un Scoronconcolo allant donner une pichenette sur le nez du classicisme pour le provoquer en duel.

— Eh quoi! dès le premier mot l'orgie en est déjà là! On casse les vers et on les jette par les fenêtres, dit un classique admirateur de Voltaire avec le sourire indulgent de la sagesse pour la folie.

Il était tolérant d'ailleurs et ne se fût pas opposé à de prudentes innovations, pourvu que la langue fût respectée; mais de telles négligences au début d'un ouvrage devaient être condamnées chez un poète, quels que fussent ses principes, libéral ou royaliste.

— Mais ce n'est pas une négligence, c'est une beauté, répliquait un romantique de l'atelier de Devéria, fauve comme un cuir de Cordoue et coiffé d'épais cheveux rouges comme ceux d'un Giorgione.

C'est bien à l'escalier
Dérobé.

Ne voyez-vous pas que ce mot *dérobé,* rejeté et comme suspendu en dehors du vers, peint admirablement l'escalier d'amour et de mystère qui enfonce sa spirale dans la muraille du manoir! Quelle merveilleuse scène architectonique! quel sentiment de l'art du xvie siècle! quelle intelligence profonde de toute une civilisation!

L'ingénieux élève de Devéria voyait sans doute trop de choses dans ce rejet, car ses commentaires, développés outre mesure, lui attirèrent des *chut* et des *à la porte,* dont l'énergie croissante l'obligea bientôt au silence.

Il serait difficile de décrire, maintenant que les esprits sont habitués à regarder comme des morceaux pour ainsi dire classiques les nouveautés qui semblaient alors de pures barbaries, l'effet que produisaient sur l'auditoire ces vers si singuliers, si mâles, si forts, d'un tour si étrange, d'une allure si cornélienne et si shakespearienne à la fois. [...]

Théophile Gautier, *Histoire du romantisme*, Paris, 1877.

Un autre témoin privilégié, Victor Hugo lui-même, évoque, dans cette note de son journal, la réception d'*Hernani*.

7 mars, minuit. — On joue *Hernani* au Théâtre-Français depuis le 28 février. Cela fait chaque fois cinq mille francs de recette. Le public siffle tous les soirs tous les vers; c'est un rare vacarme, le parterre hue, les loges éclatent de rire. Les comédiens sont décontenancés et hostiles; la plupart se moquent de ce qu'ils ont à dire. La presse a été à peu près unanime et continue tous les matins de railler la pièce et l'auteur. Si j'entre dans un cabinet de lecture, je ne puis prendre un journal sans y lire : «Absurde comme *Hernani*; monstrueux comme *Hernani*; niais, faux, ampoulé, prétentieux, extravagant et amphigourique comme *Hernani*.» Si je vais au théâtre pendant la représentation, je vois à chaque instant, dans les corridors où je me hasarde, des spectateurs sortir de leur loge et en jeter la porte avec indignation.

Mlle Mars joue son rôle honnêtement et fidèlement, mais en rit, même devant moi. Michelot joue le sien en charge et en rit, derrière moi. Il n'est pas un machiniste, pas un figurant, pas un allumeur de quinquets qui ne me montre au doigt.

Aujourd'hui, j'ai dîné chez Joanny qui m'en avait prié. Joanny joue Ruy Gomez. Il demeure rue du Jardinet, nº 1, avec un jeune séminariste, son neveu. Le dîner a été grave et cordial. Il y avait des journalistes, entre autres M. Merle, le mari de Mme Dorval. Après le dîner, Joanny, qui a des cheveux blancs les plus beaux du monde, s'est levé, a empli son verre et s'est tourné vers moi. J'étais à sa droite. Voici littéralement ce qu'il m'a dit (je rentre, et j'écris ses paroles) :

« — Monsieur Victor Hugo, le vieillard maintenant ignoré qui remplissait, il y a deux cents ans, le rôle de Don Diègue dans *Le Cid* n'était pas plus pénétré de respect et d'admiration devant le grand Corneille que le vieillard qui joue Don Ruy Gomez ne l'est aujourd'hui devant vous. »

En 1830, à *Hernani*, un homme sifflait. Tout à coup il ôta sa clef de sa bouche et cria : cela ne veut pas dire : *c'est mauvais*; cela veut dire : *c'est nouveau*.

Et il se remit à siffler.

Victor Hugo, *Choses vues*, 1830.

Voici enfin quelques extraits de critiques parues dans la presse à l'époque des premières représentations du drame.

Cet *Hernani*, qu'est-il venu offrir aux spectateurs ? Une fable grossière, digne des siècles les plus barbares; un tissu de crimes froidement déroulés, sans combinaison, sans art, sans moralité, et tout cela revêtu de ce style sans amour-propre qui, comme l'a dit l'auteur dans sa fameuse préface, *ne fait pas la petite bouche.* M. Hugo a commencé par violer, je ne dirai pas la première de toutes les règles, car il est avoué depuis longtemps qu'il les méprise *comme une vieille masure scolastique*, mais la première de toutes les conditions du drame, le vrai positif et le vrai relatif. [...]

Il y aurait quelque intérêt dans ce tissu d'incidents absurdes et invraisemblables, comme il y en a dans un conte des *Mille et Une Nuits*, s'il n'était ralenti par des digressions, des tirades d'une longueur démesurée et des détails puérils. Le précepte : *ad eventum festina* est un de ceux dont M. Hugo se soucie le moins.

On ne peut méconnaître à travers tout cela des lueurs de génie, des pensées fortes et profondes ; mais, grands dieux ! de quelles formes sont-elles revêtues ! Je n'ai pas donné la centième partie de ce que ce drame renferme de barbare, de trivial et de révoltant par l'étrangeté de l'expression. Je demanderai ensuite quel est le but de l'œuvre de M. Hugo ? A quoi bon ce sang, ces poignards, ce poison, ces fureurs et toutes ces atrocités, s'il n'en ressort aucune étude du cœur humain, aucune moralité, rien qui puisse perfectionner l'homme, rien même qui agrandisse le domaine de l'art ?

Quant à la séance d'hier au soir, c'est une représentation que l'auteur s'est donné la satisfaction d'offrir à ses amis. Les bravos furieux, les trépignements frénétiques, les exclamations folles ne lui ont pas été épargnés. Les spectateurs étaient au niveau des acteurs qui ont joué comme des épileptiques. Je ne puis donc dire si la pièce a eu du succès. J'attendrai pour cela la première représentation : on dit que ce sera la cinquième.

La Gazette de France   Z.

                            27 février 1830.

Ce soir, l'affluence était aussi grande et la réunion aussi brillante que la première fois. Le même zèle d'admiration enflammait la jeunesse du parterre ; mais les loges étaient plus calmes. L'opposition était représentée. Plusieurs fois, durant les premiers actes, elle s'est manifestée par des réclamations timides ; mais elle a été vite étouffée, et par le respect que chacun porte à un grand talent, et aussi par la violence de l'amitié. Il faut le dire pourtant, ces réclamations ont rarement été injustes ; elles ont éclaté à des passages que dès hier la critique la plus bienveillante signalait à l'auteur comme trop longs ou trop prétentieux. Ainsi la fin malheureuse du dialogue entre Hernani et Charles Quint, lorsqu'ils disputent tous deux du prix de la tête du proscrit ; ainsi la longue apostrophe aux portraits de famille ; et, çà et là, quelques affectations dans l'entretien avec Charlemagne. La scène de conspiration n'a pas produit d'effet ; mais toutes les grandes beautés de l'ouvrage, la magnanimité de Charles Quint surpris par Hernani et refusant le duel, le premier entretien d'amour à la lueur de l'incendie de Saragosse, les excuses délicates et

tendres du vieillard sur son amour, le magnifique symbole du peuple et de l'empire dans le monologue; enfin
tout le cinquième acte, chef-d'œuvre de grâce, de naturel et de force, ont excité les plus vifs transports.

Après ces deux épreuves, la critique peut maintenant
juger avec plus d'assurance. L'œuvre d'un homme
comme M. Hugo doit exciter une controverse sérieuse.
Il le faut pour l'art et l'avenir du poète. Excès de force
et de grandeur, proportions colossales, confusion du
roman vulgaire et du fantastique le plus idéal; style
épique et lyrique; du coloris quelquefois le plus riche et
le plus harmonieux, et quelquefois mêlé et heurté;
mots de cœur et de génie, jetés en images étincelantes,
ou échappant tout vifs de simplicité; puis des
recherches, des affectations, des redites, des plaisante-
ries, les unes de mauvais goût, les autres rudes et
gauches; voilà, certes, matière à discussion. Mais partout il faudra reconnaître la supériorité, l'originalité et
la puissance, vertu de génie si rare et si vainement
demandée depuis tant d'années à notre scène épuisée
et appauvrie.

Le Globe   C. M.
                                        28 février 1830.

Victor Hugo a fait des préfaces de ses drames des manifestes : il y définit le drame romantique, ses particularités, ses innovations, sa mission et jusqu'à son public.

Le drame, mélange du sublime et du grotesque.

Nous dirons seulement ici que, comme objectif auprès du sublime, comme moyen de contraste, le grotesque est, selon nous, la plus riche source que la nature puisse ouvrir à l'art. Rubens le comprenait sans doute ainsi, lorsqu'il se plaisait à mêler à des déroulements de pompes royales, à des couronnements, à d'éclatantes cérémonies, quelque hideuse figure de nain de cour. Cette beauté universelle que l'antiquité répandait solennellement sur tout n'était pas sans monotonie ; la même impression, toujours répétée, peut fatiguer à la longue. Le sublime sur le sublime produit malaisément un contraste, et l'on a besoin de se reposer de tout, même du beau. Il semble, au contraire, que le grotesque soit un temps d'arrêt, un terme de comparaison, un point de départ d'où l'on s'élève vers le beau avec une perception plus fraîche et plus excitée. La salamandre fait ressortir l'ondine ; le gnome embellit le sylphe.

Préface de *Cromwell,* octobre 1827.

Le drame de la vie et de la conscience.

C'est une grande et belle chose que de voir se déployer avec cette largeur un drame où l'art développe puissamment la nature ; un drame où l'action marche à la conclusion d'une allure ferme et facile, sans diffusion et sans étranglement ; un drame enfin où le poète remplisse pleinement le but multiple de l'art, qui est d'ouvrir au spectateur un double horizon, d'illuminer à la fois l'intérieur et l'extérieur des hommes ; l'extérieur, par leurs discours et leurs actions ; l'intérieur, par les *a parte* et les monologues ; de croiser, en un mot, dans le même tableau, le drame de la vie et le drame de la conscience.

Préface de *Cromwell.*

Le refus des unités de temps et de lieu.

Croiser l'unité de temps à l'unité de lieu comme les barreaux d'une cage, et y faire pédantesquement entrer, de par Aristote, tous ces faits, tous ces peuples, toutes ces figures que la providence déroule à si grandes masses dans la réalité ! c'est mutiler hommes et choses, c'est faire grimacer l'histoire. Disons mieux : tout cela mourra dans l'opération ; et c'est ainsi que les mutilateurs dogmatiques arrivent à leur résultat ordinaire : ce qui était vivant dans la chronique est mort dans la tragédie. Voilà pourquoi, bien souvent, la cage des unités ne renferme qu'un squelette [...].

Préface de *Cromwell.*

La mission du drame et la responsabilité de l'écrivain.

« Ce serait l'heure, pour celui à qui Dieu en aurait donné le génie, de créer tout un théâtre, un théâtre vaste et simple, un et varié, national par l'histoire, populaire par la vérité, humain, naturel, universel par la passion. »

Préface de *Marion de Lorme* (août 1831).

« Jamais, dans ses travaux, [l'auteur] ne perd un seul instant de vue le peuple que le théâtre civilise, l'histoire que le théâtre explique, le cœur humain que le théâtre conseille. »

Préface de *Marie Tudor* (novembre 1833).

« Chaque fois qu'il croira nécessaire de faire bien voir à tous, dans ses moindres détails, une idée utile, une idée sociale, une idée humaine, il posera le théâtre dessus comme un verre grossissant.

« Au siècle où nous vivons, l'horizon de l'art est bien élargi. Autrefois le poète disait : le public ; aujourd'hui le poète dit : le peuple. »

Préface d'*Angelo, tyran de Padoue* (mai 1835).

Le drame, genre universel.

Pour tout homme qui fixe un regard sérieux sur les trois sortes de spectateurs dont nous venons de parler, il est évident qu'elles ont toutes les trois raisons. Les femmes ont raison de vouloir être émues, les penseurs ont raison de vouloir être enseignés, la foule n'a pas tort de vouloir être amusée. De cette évidence se déduit la loi du drame. En effet, au-delà de cette barrière de feu qu'on appelle la rampe du théâtre et qui sépare le monde réel du monde idéal, créer et faire vivre, dans les conditions combinées de l'art et de la nature, des caractères, c'est-à-dire, et nous le répétons, des hommes ; dans ces hommes, dans ces caractères, jeter des passions qui développent ceux-ci et modifient ceux-là ; et enfin, du choc de ces caractères et de ces passions avec les grandes lois providentielles, faire sortir de la vie humaine, c'est-à-dire des événements grands, petits, douloureux, comiques, terribles, qui contiennent pour le cœur ce plaisir qu'on appelle l'intérêt, et pour l'esprit cette leçon qu'on appelle la morale : tel est le but du drame. On le voit ; le drame tient de la tragédie par la peinture des passions, et de la comédie par la peinture des caractères. Le drame est la troisième grande forme de l'art, comprenant, enserrant et fécondant les deux premières. Corneille et Molière existeraient indépendamment l'un de l'autre, si Shakespeare n'était entre eux, donnant à Corneille la main gauche, à Molière la main droite. De cette façon les deux électricités opposées de la comédie et de la tragédie se rencontrent et l'étincelle qui en jaillit, c'est le drame.

Préface de *Ruy Blas* (novembre 1838).

CHRONOLOGIE

Repères historiques et culturels

1802	Constitution de l'An 10. Bonaparte Consul à vie. Chateaubriand, *Génie du christianisme*, *René*. Naissance d'Alexandre Dumas.
1803	Complot de Pichegru et Cadoudal. Naissance de Mérimée et de Berlioz.
1804	Exécution du duc d'Enghien. Promulgation du Code civil. Sacre de Napoléon. Début du Ier Empire (1804-1814). Sénancour, *Oberman*. Naissance de Sainte-Beuve et de George Sand.
1805	Napoléon roi d'Italie. Défaite de Trafalgar. Victoire d'Austerlitz.
1806	Création de l'Université impériale. Victoire d'Iéna.
1807	Victoire d'Eylau. Occupation française de l'Espagne. David, *Le Sacre*.
1808	Création de la noblesse impériale. Conspiration de Talleyrand et Fouché. Girodet, *Atala portée au tombeau*. Naissance de Nerval, Daumier, Barbey d'Aurevilly.
1809	Victoire de Wagram. Enlèvement du pape Pie VIII.
1810	Publication du Code pénal. Mme de Staël, *De l'Allemagne*. Naissance d'Alfred de Musset.
1811	Naissance du roi de Rome. Naissance de Théophile Gautier.
1812	Campagne et retraite de Russie. Conspiration du général Malet.
1813	Campagne d'Allemagne et défaite de Leipzig.
1814	Déchéance et abdication de Napoléon. Retour de Louis XVIII. 1re Restauration. Ingres, *La Grande Odalisque*.
1815	Retour de Napoléon de l'île d'Elbe. Les Cent-Jours. Waterloo. Seconde abdication de Napoléon et Seconde Restauration (1815-1830).
1816	Constant, *Adolphe*.

Vie et œuvre de Victor Hugo

1802	(26 février) Naissance à Besançon de Victor-Marie Hugo, fils de Sophie Trébuchet et de Léopold Hugo, capitaine des armées de la République. Sophie et Léopold ont déjà deux fils : Abel né en 1798 et Eugène né en 1800.
1804	Léopold promu colonel part pour l'Italie. Sophie Hugo restée à Paris se lie avec le général Lahorie qui conspire contre Bonaparte.
1807	Mme Hugo et ses fils rejoignent Léopold en Italie.
1808	Retour à Paris et départ de Léopold pour l'Espagne.
1810	Sophie Hugo et ses enfants à Madrid où Victor et Eugène sont élèves au Collège des Nobles.
1812	Retour à Paris. Lahorie est fusillé pour complicité de coup d'Etat.
1814	Les époux Hugo engagent une procédure de divorce. Victor et Eugène sont placés en pension.
1816	Eugène et Victor entrent au Lycée Louis-le-Grand. Premiers essais dramatiques et premiers vers qui valent à Victor une mention de l'Académie française en 1817.

Repères historiques et culturels

1818   Naissance de Leconte de Lisle et de Gounod.

1819   Géricault, *Le Radeau de la Méduse*.
Naissance de Courbet.

1820   Assassinat du duc de Berry.
Lamartine, *Les Méditations poétiques*.

1821   Mort de Napoléon.
Fourier, *Traité de l'harmonie universelle*.
Naissance de Flaubert et de Baudelaire.

1823   Invention par Niepce de la photographie.
Stendhal, *Racine et Shakespeare*. Las Cases,
Le Mémorial de Sainte- Hélène.

1824   Mort de Louis XVIII. Sacre de Charles X.
Delacroix, *Les Massacres de Scio*.

1826   Guerre de l'indépendance grecque.
Vigny, *Poèmes antiques et modernes*.

1828   Première voie ferrée en France.
Berlioz, *La Symphonie fantastique*.

1829   Ministère Polignac.
Vigny, *Le More de Venise*. Dumas, *Henri III et sa
cour*. Balzac, *Les Chouans*.

Vie et œuvre de Victor Hugo

1818	Séparation légale des époux Hugo. Eugène et Victor sont confiés à leur mère.
	Première version de *Bug Jargal* qui sera publié en 1820. Eugène et Victor commencent des études de droit.
1819	Les frères Hugo fondent *Le Conservateur littéraire*.
1820	Mme Hugo s'oppose au mariage de Victor et d'Adèle Foucher, son amie d'enfance.
1821	Mort de Mme Hugo.
1822	Victor pensionné du roi pour ses *Odes et poésies diverses*.
	Il épouse Adèle Foucher. Ce même jour son frère Eugène fait une crise de folie et sera interné.
1823	Publication du roman noir *Han d'Islande* et création de la revue *La Muse française*.
	Naissance et mort d'un premier enfant, Léopold Victor.
1824	Naissance de Léopoldine.
	Hugo fréquente le Cénacle de Charles Nodier et publie de *Nouvelles Odes*.
1825	Hugo est fait chevalier de la Légion d'honneur et assiste au sacre de Charles X à Reims.
1826	Naissance de Charles.
	Publication des *Odes et ballades* et de la deuxième version de *Bug Jargal*.
1827	Amitié avec Sainte-Beuve. Installation rue Notre-Dame-des-Champs où se tient le nouveau Cénacle.
	Publication de *Cromwell* et de sa *Préface*, manifeste du drame romantique.
1828	Mort de Léopold Hugo, le père, et naissance d'un troisième fils François-Victor.
1829	Publication du recueil des *Orientales* et du *Dernier Jour d'un condamné*. Interdiction par la censure du drame *Marion de Lorme*.
	Hugo refuse le triplement de sa pension et un poste au Conseil d'Etat. Il écrit *Hernani*.

Repères historiques et culturels

1830	Les Quatre Ordonnances. Révolution de juillet (les « Trois glorieuses »). Avènement de Louis-Philippe et de la monarchie de Juillet (1830-1848). Stendhal, *Le Rouge et le Noir*. Delacroix, *La Liberté guidant le peuple*.
1831	Révolte des canuts lyonnais. Balzac, *La Peau de chagrin*. Dumas, *Antony*.
1832	Naissance de Manet et de Vallès.
1833	Loi Guizot sur l'enseignement primaire. Michelet, *Histoire de France* (début de la publication). Balzac, *Eugénie Grandet*. Rude, *La Marseillaise*.
1834	Emeutes républicaines à Paris et à Lyon. Musset, *Lorenzaccio, On ne badine pas avec l'amour*. Naissance de Degas.
1835	Balzac, *Le Père Goriot*. Vigny, *Chatterton*. Gautier, *Mademoiselle de Maupin*. Musset, *Les Nuits*. Tocqueville, *De la Démocratie en Amérique*.
1836	Inauguration de l'Arc de Triomphe de l'Etoile et érection de l'obélisque de Louxor place de la Concorde. Dumas, *Kean*. Musset, *La Confession d'un enfant du siècle*.
1839	Stendhal, *La Chartreuse de Parme*. Naissance de Cézanne.
1840	Retour des cendres de Napoléon Ier. Proudhon, *Qu'est-ce que la propriété ?* Sainte-Beuve, *Port-Royal*. Naissance de Zola, de Monet et de Rodin.
1841	Naissance d'Auguste Renoir.
1842	Eugène Sue, *Les Mystères de Paris*. Naissance de Mallarmé. Mort de Stendhal.
1844	Dumas, *Les Trois Mousquetaires*. Naissance de Verlaine.

VIE ET ŒUVRE DE VICTOR HUGO

1830   (25 février) Bataille d'*Hernani*.
Naissance d'Adèle, sa deuxième fille. Liaison entre
Sainte-Beuve et Adèle, la femme d'Hugo.

1831   Publication de *Notre-Dame de Paris* et du recueil des
Feuilles d'automne. Première de *Marion de Lorme*.

1832   Installation de la famille Hugo place Royale
(l'actuelle place des Vosges).
Le Roi s'amuse est interdit.

1833   Hugo rencontre l'actrice Juliette Drouet. Leur liaison durera cinquante ans.
Première de *Lucrèce Borgia* et de *Marie Tudor*.

1834   Publication de *Claude Gueux*.

1835   Première d'*Angelo, tyran de Padoue* et publication
des *Chants du Crépuscule*.

1836   Echec à l'Académie française.

1837   Publication du recueil des *Voix intérieures*.

1838   Inauguration du théâtre de la Renaissance avec *Ruy
Blas*.

1839   Voyage avec Juliette en Alsace, Rhénanie, Suisse et
Provence.

1840   Publication du recueil *Les Rayons et les Ombres*.

1841   Election à l'Académie française. Hugo reçu chez le
duc et la duchesse d'Orléans.

1842   Publication du *Rhin*, journal de voyage.

1843   (4 septembre) Léopoldine Hugo et Charles Vac-
querie, mariés en février, se noient dans la Seine à
Villequier.
Echec du drame *Les Burgraves*.

Repères historiques et culturels

1845	Mérimée, *Carmen*.
1848	Révolution de février. IIe République (1848-1851). Répression de juin. Election de Louis-Napoléon Bonaparte à la présidence. Chateaubriand, *Mémoires d'outre-tombe*. Alexandre Dumas fils, *La Dame aux camélias*. Naissance de Gauguin. Mort de Chateaubriand.
1850	Loi Falloux. Courbet, *L'Enterrement à Ornans*. Naissance de Maupassant.
1851	Coup d'Etat de Louis-Napoléon le 2 décembre.
1852	Proclamation du second Empire (1852-1870). Barbey d'Aurevilly, *L'Ensorcelée*. Leconte de Lisle, *Poèmes antiques*.
1853	Haussmann préfet de la Seine. Nerval, *Sylvie*.
1854	Nerval, *Les Filles du Feu*, *Les Chimères*. Naissance de Rimbaud.
1855	Fondation de la Société du Canal de Suez et de la Compagnie générale transatlantique. Nerval, *Aurélia*. Courbet, *L'Atelier du peintre*. Mort de Nerval.
1856	Flaubert, *Madame Bovary*.
1857	Baudelaire, *Les Fleurs du Mal*.
1859	Décret d'amnistie. Naissance de Bergson.
1862	Foucault mesure la vitesse de la lumière. Baudelaire, *Le Spleen de Paris*. Michelet, *La Sorcière*. Naissance de Debussy.
1863	Renan, *Vie de Jésus*. Manet, *Le Déjeuner sur l'herbe*.

Vie et œuvre de Victor Hugo

1845-1847	Hugo est nommé pair de France. Après la mort de sa fille, il cherche un dérivatif dans une vie mondaine et sentimentale agitée. Il est reçu par le roi Louis-Philippe.
1848-1850	D'abord partisan de la régence de la duchesse d'Orléans, Hugo se rallie à la République, est élu à la Constituante, prône la modération lors des événements de juin et se rapproche de la gauche. Elu à l'Assemblée législative, il soutient la candidature de Louis-Napoléon Bonaparte mais prend vite ses distances.
1851	Hugo s'oppose vainement au coup d'Etat du 2 décembre. Ses fils sont arrêtés. Il doit fuir Paris pour Bruxelles.
1852	Il s'installe à Jersey. Publication à Bruxelles du pamphlet *Napoléon le Petit*.
1853	Le recueil des *Châtiments* pénètre en France clandestinement.
1855	Expulsés de Jersey, Hugo et les siens s'installent à Guernesey.
1856	Publication du recueil des *Contemplations*.
1859	Publication de la première série de *La Légende des siècles*. Hugo, malgré la loi d'amnistie, refuse de rentrer en France.
1861	A partir de cette date, Hugo accomplit régulièrement des voyages en Europe avec Juliette.
1862	Publication et immense succès des *Misérables*. Publication de *Victor Hugo raconté par un témoin de sa vie*, souvenirs rassemblés par sa femme et revus par l'écrivain.

Repères historiques et culturels

1864 Loi sur le droit de grève.
Vigny, *Les Destinées*.

1865 Claude Bernard, *Introduction à l'étude de la médecine expérimentale*.

1866 Larousse, *Grand Dictionnaire universel*. Verlaine, *Poèmes saturniens*.

1867 Zola, *Thérèse Raquin*.
Mort de Baudelaire.

1869 Flaubert, *L'Education sentimentale*. Lautréamont, *Les Chants de Maldoror*. Verne, *Vingt-mille lieues sous les mers*.
Naissance de Gide. Mort de Sainte-Beuve, Berlioz et Lamartine.

1870 Plébiscite en faveur de l'Empire. Déclaration de guerre à la Prusse. Défaite de Sedan. Déchéance de l'Empire. Proclamation de la République.
Rimbaud, *Poésies*.
Mort de Mérimée, Dumas et Lautréamont.

1871 Siège et Commune de Paris. Thiers président de la République.

1872 Mort de Gautier.

1873 Rimbaud, *Une Saison en enfer*.
Naissance de Péguy et de Proust.

1874 Première exposition impressionniste.
Mort de Michelet.

1875 Constitution de la IIIe République. Mac Mahon, président.
Bizet, *Carmen*.
Naissance de Ravel.

1876 Zola, *L'Assommoir*. Mallarmé, *L'Après-midi d'un faune*.
Mort de George Sand.

1877 Flaubert, *Trois Contes*.
Mort de Courbet.

Vie et œuvre de Victor Hugo

1864   Publication de *William Shakespeare*.

1865   Publication des *Chansons des rues et des bois*.

1866   Publication des *Travailleurs de la mer*.

1868   Mort d'Adèle Hugo, la femme du poète, et naissance de Georges, fils de Charles.

1869   Publication de *L'homme qui rit*. Naissance de
Jeanne, petite-fille du poète.

1870   Le lendemain de la proclamation de la République,
Hugo rentre à Paris.

1871   Mort de Charles.
Hugo à Bruxelles recueille des communards. Pour
cela, il est expulsé vers le Luxembourg puis rentre à
Paris.

1872   Publication de *L'Année terrible*.

1873   Mort de François-Victor Hugo.

1874   Publication de *Quatre-vingt-Treize*.

1875   Publication d'*Actes et Paroles*.

1876   Hugo, sénateur de Paris, intervient pour l'amnistie
des communards. Il sera réélu triomphalement en
1882.

1877   Publication de *La Légende des siècles* (deuxième
série), de *L'Art d'être grand-père* et d'*Histoire d'un
crime*.

Repères historiques et culturels

1879	Jules Grévy, président. Jules Vallès, *L'Enfant*.
1880	Ministère Jules Ferry. Le 14 juillet devient fête nationale. Verlaine, *Sagesse*. Naissance d'Apollinaire. Mort de Flaubert.
1881	Ministère Gambetta. Lois scolaires de Jules Ferry. Flaubert, *Bouvard et Pécuchet*.
1884	Huysmans, *A Rebours*. Zola, *Germinal*.
1885	Pasteur met au point le vaccin contre la rage. Maupassant, *Bel-Ami*.

VIE ET ŒUVRE DE VICTOR HUGO

1878 Hugo est atteint d'une congestion cérébrale. Publication du *Pape*.

1879 Publication de *La Pitié suprême*.

1880 Publication de *L'Ane* et de *Religion et religions*.

1881 Publication des *Quatre Vents de l'esprit*.

1882 Publication de *Torquemada*.

1883 Mort de Juliette Drouet. Publication de *La Légende des Siècles* (troisième série).

1885 (22 mai) Mort de Victor Hugo accompagné au Panthéon le 1er juin par une foule immense. Sont publiés à titre posthume : *Théâtre en liberté* (1886), *La Fin de Satan* (1888), *Dieu* (1891), *Choses vues* (1913).

BIBLIOGRAPHIE SOMMAIRE

Editions

Victor Hugo, Théâtre I : *Amy Robsart, Marion de Lorme, Hernani, Le Roi s'amuse*, coll. GF-Flammarion, 1979. Théâtre II : *Lucrèce Borgia, Ruy Blas, Marie Tudor, Angelo, Tyran de Padoue*, coll. GF-Flammarion, 1979.

Victor Hugo, *Œuvres complètes*, Ed. du Club français du livre, 1967. *Hernani* est présenté dans le tome III de cette édition.

Victor Hugo

HENRI GUILLEMIN, *Victor Hugo par lui-même*, Le Seuil, 1964.
HUBERT JUIN, *Victor Hugo*, Flammarion, 1980.
ANNE UBERSFELD, *Paroles de Hugo*, Messidor, 1985.

Le théâtre de Hugo

MICHEL BUTOR, « Le théâtre de Victor Hugo », *Nouvelle Revue française*, décembre 1964-janvier 1965.
ANNE UBERSFELD, *Le Roi et le Bouffon, Etude sur le théâtre de Hugo de 1830 à 1839*, José Corti, 1974.
ARNAUD LASTER, *Pleins feux sur Victor Hugo*, Comédie-Française, 1981.

Jean Gaudon, *Victor Hugo et le théâtre. Stratégie et dramaturgie*, Ed. Suger, Jean-Jacques Pauvert, 1985.

Hernani

Jean Gaudon, « En marge de la bataille d'Hernani », *Europe*, numéro spécial Hugo, 1985.
Anne Ubersfeld, *Le Roman d'« Hernani »*, Mercure de France, 1985.

Le drame romantique

Michel Lioure, *Le Drame de Diderot à Ionesco*, Armand Colin, 1973.
Anne Ubersfeld, *Le Drame romantique*, Belin, 1993.

TABLE

GF Flammarion

04/05/107234-V-2004 – Impr. MAURY Eurolivres, 45300 Manchecourt.
N° d'édition FG096815. – Septembre 1996. – Printed in France.